DU MÊME AUTEUR

Aux Éditions Gallimard

SOTOS, *roman*, 1993 (Folio, n° 2708).

ASSASSINS, *roman*, 1994 (Folio, n° 2845).

CRIMINELS, *roman*, 1996 (Folio, n° 3135).

SAINTE-BOB, *roman*, 1998 (Folio, n° 3324).

VERS CHEZ LES BLANCS, *roman*, 2000 (Folio, n° 3574).

ÇA, C'EST UN BAISER, *roman*, 2002 (Folio, n° 4027).

FRICTIONS, *roman*, 2003 (Folio n° 4178).

IMPURETÉS, *roman*, 2005 (Folio n° 4400).

MISE EN BOUCHE, *récit*, 2008 (Folio n° 4758).

IMPARDONNABLES, *roman*, 2009 (Folio n° 5075).

INCIDENCES, *roman*, 2010.

Aux Éditions Futuropolis

MISE EN BOUCHE, avec Jean-Philippe Peyraud, 2008.

LUI, avec Jean-Philippe Peyraud, 2010.

LORSQUE LOU, illustrations de Miles Hyman, 1992.

Aux Éditions Bernard Barrault

50 CONTRE 1, *histoires*, 1981.

BLEU COMME L'ENFER, *roman*, 1983.

ZONE ÉROGÈNE, *roman*, 1984.

37°2 LE MATIN, *roman*, 1985.

MAUDIT MANÈGE, *roman*, 1986.

ÉCHINE, *roman*, 1988.

CROCODILES, *histoires*, 1989.

LENT DEHORS, *roman*, 1991 (Folio n° 2437).

Suite des œuvres de Philippe Djian en fin de volume

VENGEANCES

PHILIPPE DJIAN

VENGEANCES

roman

GALLIMARD

Pour Année

« Mille vies ne sont pas suffisantes
Mille hommes ne sont pas assez forts »

☛ Les plus atteints étaient les plus jeunes, sans nul doute, ceux qui avaient une vingtaine d'années. Environ. Il suffisait de les regarder.

Je l'avais réellement compris lors d'une petite réception chez nos voisins, quelques jours avant Noël. Lorsque mon fils de dix-huit ans, Alexandre, avait médusé, puis terrifié l'assistance en se tirant froidement une balle dans la tête. En s'effondrant sur le buffet.

J'étais rentré à la maison, avais réveillé Élisabeth — l'avais secouée, arrachée à son somnifère. « Regarde, Élisabeth ! Regarde ! lui avais-je fait d'une voix faible, encore tremblante. Regarde ce qui vient d'arriver. Regarde ce sang sur mes mains ! » À l'entendre, je m'étais mis à pleurer comme une fontaine au moment où j'avais prononcé ces mots. Incapable de rester au sec durant des jours.

☛ Élisabeth avait tout fait pour le sortir de là, pour le consoler, le réconforter, mais il ne voulait rien écouter. Son fils était mort, il ne pensait qu'à boire — se saouler au plus vite, sans délai, avant que la douleur ne se réveille. Ça lui semblait être une assez bonne solution, un acceptable compromis. Il avait ardemment souhaité qu'Élisabeth partît en vacances quelques semaines, ou mieux quelques mois. Jamais autant désiré quelque chose, jamais autant prié pour que sa boîte l'envoyât en mission à l'autre bout du monde et qu'il demeurât seul. Mais elle avait tenu bon, il devait le reconnaître. Elle ne l'avait pas lâché.

☛ Les plus atteints, il fallait se rendre à l'évidence, avaient à peine une vingtaine d'années. À deux rangs devant lui, comme la rame se remettait en marche, c'était au tour d'une adolescente — une blonde qui émettait des rots retentissants depuis la station précédente —, à son triste tour de montrer qu'ils étaient bel et bien les plus déchus, les plus lamentables. Vomir dans ses souliers, de bon matin. Examiner le résultat d'un œil hagard. Empuantir un wagon entier d'une terrible odeur de vinasse. Aimable plaisanterie. Le moins que l'on pût faire si l'on avait un tant soit peu l'esprit d'équipe.

Difficile de dire à quel point il trouvait ça effroyable, avilissant pour une fille — d'autant qu'elle ne s'était pas loupée, maculant le devant de sa jupe et une manche entière de sa veste. Voyant que sa bouche se tordait, il crut qu'elle allait se mettre à pousser un cri de rage, au lieu de quoi elle tomba sur le côté et glissa sur le sol, sans un bruit.

Il était très tôt, ce matin-là. En dehors de quelques travailleurs de l'aube installés au fond, encore abrutis de sommeil, silencieux, le compartiment était vide. Le métro aérien passait à cet instant au-dessus du fleuve et la fille se roulait à présent dans ses luisantes vomissures au gré d'une large courbe qui s'orientait à l'ouest en direction des tours — dont les derniers étages rutilaient au soleil comme des charbons ardents.

☛ Je n'étais pas très chaud pour lui venir en aide. Un instant, je détournai mon attention. La station n'était plus qu'à quelques minutes et il me suffisait de regarder ailleurs durant ce court laps de temps, de lever les yeux vers les graffitis du plafond, ou que sais-je, les indications à suivre en cas de sinistre, pour ne pas intervenir. Quelqu'un d'autre s'en chargerait. J'en voulais à cette fille de me remettre Alexandre en tête — il avait fait deux comas éthyliques avant de mettre fin à sa brève carrière et cette fille me rappelait à quel point ils étaient carbonisés, à quelles profondeurs plongeaient les racines du mal. Ce gosse m'avait anéanti.

☛ « Ça nous aurait anéantis tout autant que toi, avait déclaré Michel en le regardant droit dans les yeux et en lui prenant l'épaule, environ six mois après la mort d'Alexandre. Mon vieux, tu as passé un sale quart d'heure, nous le savons tous, ici. Ça nous aurait fait la même chose. Marc, mon vieux, ça nous aurait fait *exactement* comme à toi. Ça nous aurait flingués. »

Puis, après l'avoir fixé un instant et serré contre lui, Michel l'avait invité à souffler sur ses quarante-cinq bougies et tous avaient applaudi. Sauf Élisabeth qui avait déjà pris ses distances.

Marc traîna cependant l'adolescente sur le quai — en prenant garde à ses propres vêtements — et réussit à l'asseoir sur une banquette de bois sans qu'on vînt lui prêter la moindre assistance, sans qu'une âme charitable émergeât du lot clairsemé du petit matin.

Il considéra la fille un instant, subodorant le mélange infernal qu'elle avait dû s'administrer, mais il ne ressentit aucune compassion pour elle. À un distributeur automatique, il acheta une bouteille d'eau et la lui tendit. Bien quelle gardât les yeux à demi ouverts, il était impossible d'évaluer son niveau de conscience. « Larguée » n'était pas le mot. « Complètement larguée » était juste un peu mieux.

« Carbonisée » était pas mal. Il faisait assez froid.

☛ « Tu es dingue. Tu es complètement dingue, soupira Michel. Achète-toi un chien, je ne sais pas, va prier, va donner ton sang… Marc, pitié, tu n'as rien à te faire pardonner. Arrête avec ça. On ne peut pas se tenir pour responsable de la folie générale. Ne te mets pas cette croix sur les épaules, ne sois pas plus cinglé que tu n'es. »

Il versa une bonne rasade de gin dans le verre de Marc, déjà rempli à de nombreuses reprises depuis le début de la soirée. « Alors ? reprit-il. Tu comptes en faire quoi ? Tu as réfléchi ? Et si Élisabeth débarque ?

— Très drôle.

— Ne crois pas ça. Tu ne la connais peut-être pas aussi bien que tu le devrais.

— Michel a raison, fit Anne en rapportant des verres où une boisson fluorescente pétillait. Tu ne la connais pas comme je la connais. Élisabeth est une coriace... »

La musique provenait d'un album de Wall of Voodoo qu'il leur avait offert.

« S'il fallait décerner le prix du type qui cherche les complications, reprit Michel, tu aurais toutes tes chances. Aucun problème. » Il avala son verre d'un coup puis enfila une veste dans un même geste. « Voilà. Je vais te dire ce qu'on va faire. On va aller la chercher. On va lui donner un peu d'argent et on va la reconduire en ville. Il n'y a pas une minute à perdre. On applique la procédure.

— Elle dormait avant que je vienne.

— On va la réveiller. Ne te fais pas de souci pour ça. »

Je ne m'en faisais pas beaucoup.

☛ Alexandre avait pris sa première cuite à douze ans, autant que je m'en souvenais. Les pompiers avaient dû intervenir et sa mère, Julia, la femme avec laquelle je vivais à l'époque, m'avait tout mis sur le dos, accusant mon manque de vigilance, mon immaturité, mon insouciance criminelle et tout le reste, d'une voix pleine de mépris.

Mais c'est moi, pour finir, qui avais obtenu la garde de l'enfant en invoquant l'éducation que cette femme allait prodiguer à un adolescent, le triste exemple qu'elle donnait, etc. — voilà tout ce qu'elle avait gagné.

Tout n'était pas toujours très facile entre lui et moi, tout ne se passait pas toujours de façon idéale, mais nous parvenions à vivre ensemble néanmoins, nous y parvenions bel et bien. Je ne l'ai pas oublié. Puis la communication s'était détériorée avec l'arrivée d'Élisabeth. Et ça n'avait pas été faute d'avoir tout essayé pour la rétablir, de mon côté comme de celui d'Élisabeth, la femme qui partageait désormais mon lit, ma chambre, ma maison — pour le meilleur et pour le pire. Peine perdue. Plus rien ne fonctionnait sur le mode rationnel dans l'esprit de ce garçon. Je ne pouvais plus réellement lui parler. Lui demander ce qui n'allait pas ? Pour obtenir toujours la même stupide réponse ?

Je ne pouvais pas me réclamer d'une vision très nette de cette époque comprise entre le départ de Julia et l'arrivée d'Élisabeth — pour bonne part en raison de ma vie de célibataire qui me faisait rentrer tard et le plus souvent alcoolisé, plusieurs fois par semaine —, mais je savais que nous nous étions assez bien entendus, Alexandre et moi.

J'étais convaincu d'avoir fait un père acceptable durant ces années-là. J'espérais qu'il s'en souvenait quand, vers la fin, il semblait ne plus voir en moi que son pire ennemi — au mieux un animal d'une espèce différente. Mais je n'en étais pas sûr.

Je le regardais jouer avec ses copains, grimper dans les arbres. Nous habitions à proximité d'un lac, ils se baignaient, ils s'amusaient, et je ne regrettais pas une seconde que sa mère nous ait quittés. Quelle opaque fumée envahit donc l'esprit d'un homme quand il porte son choix sur une femme, sur l'une d'elles *précisément* ? À quel instant exact est-il frappé en pleine figure, incapable de reculer ? À quel instant est-il perdu ? Je m'étais irrémédiablement trompé, quant à moi. Passé les quelques mois de sauvagerie sexuelle qui avaient suivi notre mariage, l'ennui s'était mystérieusement installé entre nous, le désert nous avait envahis en quelques années à peine, couche après couche, puis j'avais fini par découvrir sa liaison avec le livreur de produits surgelés et j'avais longuement hésité à lui en parler dans l'espoir qu'un peu de jalousie ou autre chose se manifesterait en moi, mais le vide que je ressentais au fond de ma poitrine était devenu presque effrayant.

Aussi, pendant longtemps, lorsque je rentrais de mon travail, je me pressais de ressortir, échangeant avec elle à peine quelques mots, emmenant Alexandre faire un tour ou retrouvant quelques amis pour boire un verre — et pleurer sur la condition des pères de moins de trente ans et l'augmentation du tarif des baby-sitters.

« J'en ai assez de vivre avec une putain, lui ai-je dit un beau matin. J'aimerais que tu fasses tes valises. »

Elle les tira de sous le lit pour me montrer qu'elles étaient déjà faites.

☛ Il n'avait pas été très malin de ramener cette fille chez lui, de refaire le chemin avec elle pour l'installer dans la chambre d'amis. Il n'y comprenait rien. Il avait l'impression d'avoir agi comme un somnambule, d'avoir agi sous l'emprise d'un charme funeste, et d'ailleurs, la matinée avait été étrangement lumineuse, l'air glacé.

Par chance, le quartier était encore désert. La fille abominablement saoule. Une fois arrivé, il avait trouvé un message de Michel qui l'invitait pour la soirée. Sur le seuil, tandis qu'il cherchait ses clés, la fille s'était collée à lui et il empestait à son tour comme trente-six cochons. Comment était-ce possible. Une telle abomination.

Depuis qu'il l'avait abandonnée sur le lit, elle dormait. Jusque-là, il n'avait pas vraiment eu l'occasion de détailler son visage et la chambre était dans l'ombre, mais elle semblait assez jolie malgré tout et cela le rendait un peu honteux. Aurait-il agi de même avec le premier S.D.F. venu ? Ma foi. Aucune chance. Pas la moindre. Il fallait l'admettre.

De la terrasse, on avait une vue dégagée sur les collines lointaines. De longues séquences de fleuve, de longs miroitements, entre les arbres. Quand ils habitaient au bord du lac, il éprouvait une sorte de tension qui provenait de cette masse d'eau *immobile*. À l'inverse, l'eau courante ne lui posait aucun problème. Au contraire. Il avait d'ailleurs installé quelques chaises longues pour s'abandonner au spectacle dans les meilleures conditions et il fallait vraiment qu'il fît trop froid ou que le temps fût trop mauvais pour qu'il se privât de sa séance de contemplation. Le fleuve agissait sur l'esprit comme une cassette nettoyante sur une tête de lecture. Depuis la mort d'Alex, il s'adonnait à sa contemplation de manière encore plus assidue.

Élisabeth avait fini par trouver qu'il abusait. Prétendait que se morfondre ne servait à rien. Mais qui décrétait que se morfondre devait servir à quelque chose ? Ce n'était pas son fils qui s'était brûlé la cervelle. Sans doute était-ce moins pénible pour elle. Bien. Bon. Peut-être avait-il eu mille fois tort de lui tenir de tels propos, connaissant son extrême susceptibilité, son goût pour les passes d'armes, pour l'affrontement, mais c'était la vérité. Résultat, il ne l'avait guère vue depuis le début de l'automne et quand il la croisait dans des soirées, elle filait.

« Elle va revenir, assurait Michel. Tiens-toi prêt. *The readiness is all.* Mais je me mets à sa place. Vivre avec toi demande réflexion. Elle te connaît.

— J'ai appris qu'elle couchait avec un connard, un Italien, je ne sais pas.

— Ne t'occupe pas de ce qu'on raconte. Concentre-toi plutôt sur ton travail. Tes derniers trucs sont à chier.

— Ils remplissent tes poches. Mes trucs à chier remplissent abondamment tes poches.

— Oui, je sais. C'est terrible. Ma vie est un enfer. À propos, qu'est-ce que tu as fabriqué, ce matin ? Tu étais censé venir exprès pour les signer.

— J'ai changé d'avis. Je n'offre plus de garantie. Dis à cette femme que je ne suis pas devin. On n'a pas de recul. Je ne peux pas garantir que ça tiendra dix ans. Sans parler de la pollution atmosphérique. Dis-lui ça.

— Je ne vais pas lui dire ça. Sûrement pas. Je suis celui de nous deux qui doit rester lucide.

— Écoute, il faut que je te dise quelque chose. J'ai ramassé une fille dans la rue, une fille saoule.

— Non, tu es sérieux ?

— Oui, elle est chez moi.

— Tu n'es pas sérieux ?... »

Pour toute réponse, il soupira, jeta, par-dessus l'épaule de Michel, un coup d'œil circulaire sur l'assistance, puis donna quelques détails. L'appartement était plein. On pouvait compter sur Anne pour inviter les gens qu'il fallait et veiller à la réussite de la soirée, il y avait à boire et à manger à volonté, de quoi s'amuser, de quoi se défoncer, si bien que Marc n'avait aucune envie de penser à la fille, aux ennuis qu'il était peut-être en train de s'attirer pour trois fois rien, pour un incompréhensible instant d'égarement, de passage à vide tandis qu'il l'observait, docile, titubant sur sa banquette de bois dans l'air glacé, pâle comme un spectre. Il donnait pourtant à toutes les organisations de secours — il envoyait des chaussures, des vêtements, des médicaments, des chèques, des boîtes de conserve —, aussi qu'avait-il eu besoin d'aller en plus jouer les saint-bernard de bon matin, que lui était-il arrivé ? Ivre mort ou équivalent, il n'avait jamais poussé la charité aussi loin.

Vieillir ramollissait-il le cœur, aussi ?

☛ Une partie du mobilier était en miettes, mes affaires déchirées, éparpillées, cassées. Les aliments que contenait le frigo jonchaient le sol de la cuisine, des bouteilles avaient explosé, mes vêtements avaient volé dans tous les sens et le malheureux gramme de poudre que je conservais dans mon armoire à pharmacie, ainsi que mes somnifères, avait salement disparu.

« Qu'est-ce que je t'avais dit... déclara Michel en secouant la tête. Voilà le prix de ta charité, voilà ta récompense. Eh bien. Il ne manquait plus que ça. Il a fallu que tu tombes sur une fille reconnaissante. La salope. Où est ta bonne étoile en ce moment? Envolée? » Il se baissa pour ramasser les restes de ma Gibson que la fille avait mise en pièces. Machinalement, je redressai un lampadaire. « Je crois que je suis bon pour une semaine à l'hôtel, fis-je.

— Oublie l'hôtel. Tâchons plutôt de trouver une valise. Je m'occuperai de tout ça demain. Mais fais-moi plaisir. Soigne un peu la déco, cette fois. T'en foutre n'est pas la solution. T'en foutre n'est pas bon pour ton mental. Tu dois savoir que l'indifférence et l'irrésolution se paient. Tu sais, on peut être un type bien et vouloir choisir la couleur de ses rideaux. Faire preuve d'un minimum de goût n'a jamais envoyé personne en enfer. Ni transformé un type intelligent en débile. »

Tandis qu'il s'activait à ramasser quelques affaires qu'il enfournait dans une valise, je fis le tour de la maison et remarquai soudain, revenant à ma chambre, une chose étrange : la photo d'Alexandre, que je gardais dans un tiroir de ma table de nuit, avait disparu. Il ne restait que le cadre.

« Tu penses qu'elle le connaissait? »

Je haussai les épaules. Je n'en savais rien. Il ne m'avait

jamais dit grand-chose de ses fréquentations. Lorsque nous nous étions séparés, Julia et moi, et après que j'eus obtenu sa garde, j'avais emménagé avec lui et aussitôt, nous nous étions accordé une complète liberté l'un vis-à-vis de l'autre et je n'allais pas davantage fouiller dans sa vie qu'il ne venait fouiller dans la mienne. J'estimais qu'il avait beaucoup de maturité pour son âge. Il m'arrivait de rentrer tard d'un concert, d'une soirée ou autre et de trouver un repas qui m'attendait — raison pour laquelle, assez souvent, élever un enfant m'était apparu comme une chose relativement simple.

☛ Il voyait Alexandre en se levant, au moment de partir travailler, puis il le laissait en compagnie de la jeune fille au pair — qu'il choisissait plutôt mignonne, plutôt blonde —, et il ne réapparaissait qu'assez tard, à la nuit tombée, ne le voyait pas parfois de tout le week-end. Il n'oubliait pas, cependant, de lui laisser de l'argent, de prendre régulièrement de ses nouvelles, de lui demander comment allait l'école, comment allaient ses professeurs, etc.

Dans son esprit, le 11 Septembre marquait précisément le début du déclin de l'Occident — déclin qui tendait vers son zénith à présent, de manière presque naturelle —, et depuis ce jour, il se sentait irrémédiablement emporté vers le fond, par un effet d'entraînement, et si indifférent à tout, parfois, qu'il ne gardait plus assez d'énergie pour rentrer chez lui.

Il se rendait compte, de plus en plus souvent, qu'il ne remplissait pas très bien son rôle auprès d'Alexandre, mais il ne parvenait pas à y remédier. Sa propre vie requérait une certaine dose d'attention, il avait l'obligation de s'occuper un peu de lui-même, de ménager une partie de ses forces pour résister au déferlement quotidien. Il ne pouvait pas se consacrer vingt-quatre heures sur vingt-quatre à son fils. Ce n'était pas une promenade de santé. Vivre n'était pas une promenade de santé. Plutôt une marche forcée.

Michel prétendait qu'il accepterait à la seconde d'échanger sa place avec celle de Marc — mais malheureusement, l'argent venait du côté d'Anne, ce qui lui ôtait toute espèce de courage, toute velléité de rébellion. « Mais il n'empêche que..., déclarait-il. Être libre a forcément du bon. Rentrer avec qui tu veux, quand tu veux. Étudier toutes les propositions. Manger en regardant la télé. Garder le silence. J'en passe. Dormir dans des appartements inconnus. Baiser la petite salope du coin. J'en connais qui sont preneurs. »

Le ciel était d'un noir intense. L'air de la nuit tiède avait un lointain parfum de gaufre. Ils se tenaient sur le balcon de Michel, un verre à la main, le regard brillant, et celui-ci orientait son attention sur une fille en jupe courte qui portait une culotte claire. De l'autre côté de l'avenue, des lumières brillaient dans les bureaux vides — les derniers étages se fondaient dans l'obscurité.

« Tu t'en tires pas mal avec ton fils, reprenait-il.

Vous vous en sortez bien. Le temps a fait son œuvre. Vous êtes bons, tous les deux. Le temps a joué pour vous. Vraiment. En attendant, suis-moi. Je vais te présenter quelqu'un. Amène-toi. »

Ils passèrent dans une autre pièce et Michel lui présenta une fille, une dénommée Élisabeth, avec laquelle il coucha le soir même — jusqu'à l'aube.

Lorsqu'il ouvrit un œil un peu plus tard, vers midi, encore sonné par ses excès de la veille, il examina la femme endormie à côté de lui et il comprit qu'un mystérieux courant était passé entre eux. « Oui, ça ne m'étonne pas, fit Michel à l'autre bout du fil. J'en étais sûr à quatre-vingt-dix pour cent. J'ai tout de suite vu qu'elle était ton genre. Et elle baise bien, dis-moi...?

— Elle fume au lit, c'est la seule chose qui m'ennuie. »

En fait, il était encore sous le charme. Il éloigna Alex durant le week-end.

Elle resta quelques jours. Seule avec lui. Du soir au matin, du matin au soir. Il devait se retenir pour ne pas trop la baiser, de peur de donner l'image d'un forcené, d'un malade sexuel, d'un insatiable, mais les pilules que Michel lui avait données agissaient comme de véritables petites bombes obligeant à remettre le couvert.

Une chance qu'il ait eu la présence d'esprit d'écarter Alexandre du théâtre des opérations. Cependant qu'elle prenait un bain, il se demandait comment il allait la présenter à son fils, au cas où elle s'éterniserait. Comment pourrait se mettre en place une éventuelle cohabitation, le cas échéant ? Certes, les chambres étaient situées à l'opposé l'une de l'autre, il y avait deux salles de bains, une terrasse, un vaste salon, une grande cuisine, mais cela suffirait-il ? La situation ne s'était encore jamais présentée. En cinq ans, il n'avait invité aucune femme à la maison — en dehors de rares week-ends ou de courtes vacances qu'Alexandre passait chez sa mère.

Il était tout à fait surpris de songer déjà aux divers scénarios résultant de l'installation d'Élisabeth dans la place. Ils venaient à peine de se rencontrer.

Mais au terme de trois jours complets ensemble, sans presque fermer l'œil, sans presque reprendre leur souffle, il avait recouvré ses esprits, il s'était réveillé et avait aussitôt pris la décision, tandis qu'il mettait un pied sous la douche, de proposer à Élisabeth de rester là, d'emménager dans cette maison avec lui et Alexandre, son fils, qu'elle ne tarderait pas à connaître.

Comme elle se réveillait à son tour, il lui posa la question de but en blanc.

« Demain, je suis à Shanghai », répondit-elle — sur le mode somnambule.

Il hésita une seconde. « Ça ne fait rien, grimaça-t-il. Je suis décidé à vous prendre comme vous êtes... Je passe le plus clair de mon temps en dehors de chez moi. On ne se dérangera pas. Faisons un essai. Ne déménagez pas vos meubles. Nous allons chez vous, nous remplissons une valise, nous fermons le compteur et je vous ramène, le tour est joué. Si vous êtes d'accord, je propose que nous agissions immédiatement, avant que nous n'en ayons plus la force. Parce que le simple fait de baisser les yeux sur vous, Élisabeth... Hum, comment vous dire ça de façon un peu élégante ? »

Alexandre ne débarqua qu'en milieu de soirée et ils avaient pris soin de s'aérer sur la terrasse, au terme de leur dernier rapport, afin de perdre des couleurs. Ils s'étaient également douchés et elle l'avait masturbé pour le soulager un peu et lui permettre de replier son matériel dans son jean autant que faire se pouvait.

À la tombée du soir, ils avaient sagement regardé un documentaire animalier tourné aux Galapagos, puis les informations qui annonçaient la dégringolade des premières banques — les rats quittaient le navire — et le bulletin météo, tandis que les arbres perdaient leurs feuilles, que l'air fraîchissait aux premiers jours d'automne. Elle avait posé la tête sur son épaule cependant que typhons, cyclones, tremblements de terre se succédaient aux quatre coins du globe, inondations, maladies, volcans.

☛ Anne pensait qu'il n'y avait pas de hasard et que la fille savait très bien qui était Marc ou devait l'avoir reconnu.

« En tout cas, elle ne te porte pas dans son cœur.

— Ah oui ? Et pour quelle raison ? Je ne l'ai jamais vue de ma vie. »

Anne les avait mis au martini-gin, elle et lui. Le soir tombait, le crépuscule chatoyait sur la tour dressée de l'autre côté de l'avenue — que remontait un vent léger en provenance des collines — et durant un instant, reconnaissant l'odeur de la nuit, il resta pensif.

Personne ne pouvait prétendre être un ange. Personne ne pouvait se réclamer de la blancheur absolue. Mais il n'avait rien de grave sur la conscience, rien de très significatif, de très original — rien qui pût expliquer le traitement que la fille avait infligé à ses affaires.

Anne l'encouragea. « Cherche bien. Parfois, les choses sont tellement énormes qu'on ne les voit pas. La plupart des hommes que je connais méritent l'enfer. Je ne vois pas pourquoi tu ferais exception. »

Il resta un long moment seul, à réfléchir, tandis qu'Anne se préparait pour sortir, enfilait un pantalon hyper moulant, retouchait son maquillage, puis il lui vint tout simplement à l'esprit que la chose réellement terrible qu'il avait commise, et qui méritait le châtiment évoqué, était de n'avoir pas su empêcher le suicide de son fils.

« Écoute, lui déclara-t-elle comme ils sautaient dans un taxi, je sais exactement à quoi tu penses. Maintenant tu vois quelle direction ça prend, même si des bouts restent dans l'ombre. La vie est si étrange que plus rien ne peut nous étonner. Même si l'on se forçait, on ne pourrait pas.

— Tu sais, parfois, j'ai l'impression qu'Alex est assis

là, juste à côté de moi, et qu'il va m'adresser la parole. Cette fille fait ressurgir tout ça. Regarde les poils de mes bras. »

Il passa la soirée près du bar, en compagnie de quelques verres et complètement déconnecté de tout ce qui l'entourait, de l'abominable musique, des visages, des conversations que l'on entamait avec lui et dont il n'entendait plus rien au bout d'une minute.

Il ne s'agissait pas de retomber dans la dépression qui avait suivi l'enterrement d'Alex et qui avait eu raison d'Élisabeth. Si cette dernière n'était pas là aujourd'hui — et Dieu sait comme sa présence aurait arrangé les choses, comme il aurait aimé se sentir soutenu —, il savait parfaitement pourquoi. Elle avait fini par lui confier son découragement, par lui avouer qu'elle n'en pouvait plus de son chagrin, de ses gémissements, et qu'elle devait prendre un peu de recul jusqu'à ce qu'il retrouve ses esprits car elle ne voulait pas devenir folle à son tour.

Visiblement, il n'avait toujours pas accompli le changement qu'elle attendait de lui.

Il se sentait seul. Elle ne donnait pas souvent de ses nouvelles. Elle parlait avec Anne la plupart du temps. Son dernier appel provenait d'Italie.

« A-t-elle demandé si j'étais mort ou vivant? » Cette question n'était plus qu'une triste plaisanterie, désormais, mais il continuait de la poser, sans plus guère nourrir d'espoir qu'elle revienne un jour — alors qu'Anne et Michel étaient persuadés du contraire, soi-disant. « Elle a demandé comment tu allais.

— Tu parles. »

☛ Au retour, dans le taxi, Anne m'interrogea sur d'éventuelles histoires que j'aurais eues dans le passé et qui ressurgiraient aujourd'hui — qui les mettraient en danger —, d'une manière ou d'une autre, comme des herbes empoisonnées, mais j'avais la tête si remplie d'alcool, le cerveau si envahi de poudre que je ne pouvais me livrer à une telle analyse. « Reparlons de ça demain, veux-tu ? lui dis-je. Laisse-moi respirer.

— Je ne m'appelle pas Michel. Je sais garder un secret.

— Je n'ai tué personne. Je n'ai ruiné personne. Je n'ai transmis aucune merde à quiconque. Quoi d'autre ?

— Comment savoir ? Nous devons être prudents. Je ne suis pas dans la tête de cette fille, tu es marrant. »

Je m'étais installé dans leur salon pendant quelques jours, tandis que je faisais remettre ma chambre en état, poser des rideaux, réparer le mobilier. Je payai le taxi, avalai quelques bouffées d'air frais, écoutai frissonner les arbres dans la fraîcheur nocturne puis entrai à la suite d'Anne et filai vers le canapé comme le naufragé vers son île, bras tendus, mais j'entendis qu'elle sortait des verres et actionnait le distributeur de glaçons. Je ne connaissais aucune femme aussi résistante.

Aucun alcool, aucune drogue ne semblait pouvoir venir à bout de ses forces, de son sens de l'équilibre. Anne se contentait de quelques heures de sommeil par nuit. Vous tenir compagnie ne lui faisait jamais peur.

« Tu sais que j'ai toujours pensé qu'Alexandre était homosexuel, reprit-elle. Bon. Mais si je m'étais trompée ?

— Ah, enfin ! Combien de fois te l'ai-je dit ? Combien de fois ai-je tenté de te sortir ça de la tête ?

— Très bien. Ne le prends pas mal.

— Pas une seconde. Ça ne m'effleure même pas. Chacun est libre d'échafauder les histoires les plus invraisemblables. Écoute, je crois qu'il est vraiment très tard. Je crois que l'heure des réflexions profondes est passée.

— Et si c'était sa petite amie ?

— *Quoi* ?

— Et qu'elle se soit mis en tête je ne sais quoi. Tu es bien sûr de ne l'avoir jamais vue ?

— Comment fais-tu pour avoir autant d'imagination ? Comment fais-tu pour inventer des trucs pareils ? C'est phénoménal. Tu es complètement déformée.

— Elle n'est quand même pas apparue sur ton chemin par enchantement. Elle t'a tendu une sorte d'embuscade, elle a sûrement manigancé tout ça. Tu sais, je n'en reviens pas que tu te sois si peu inquiété de lui. Au point de ne pas savoir s'il avait une petite amie. Je suis sidérée. »

Elle avait raison. J'aurais été incapable de mettre un

visage sur les amis d'Alex — si tant est qu'il en eût — comme de dire trois mots de son emploi du temps quand il n'était pas en cours. Je ne m'étais aperçu de rien. Je l'avais regardé sans le voir. Avec le temps, je m'étais simplement contenté de vérifier la bonne marche de ses fonctions vitales, au fond, de m'assurer qu'il demeurait en vie, rien de plus. Le service minimum.

Anne me tendit un verre. « Il faut que je la retrouve, dis-je. Il le faut absolument.

— Nous allons la retrouver. Ne t'en fais pas. Michel s'en occupe activement. Mais tu seras bien avancé. Elle a sûrement un grain. Au moins ça, non? Ou la rage. »

Elle se laissa choir à côté de moi et resta silencieuse. Nous avions couché ensemble, autrefois, avant qu'elle ne se décide à se mettre avec Michel, et cette chose continuait à rendre l'atmosphère un poil opaque entre nous — au reste, dans mon souvenir, nous avions baisé abondamment, avec ardeur, nous étions plus jeunes, nous n'avions pas eu à nous plaindre de ce côté-là. D'où cette épée de Damoclès au-dessus de nos têtes, prête à nous transpercer si nous perdions nos esprits. Le danger rôdait autour de nous quand Michel s'absentait, quand nous nous retrouvions seuls dans la même pièce, quand elle s'asseyait et croisait un peu trop les jambes, quand elle passait dans mon dos et par malchance me frôlait et laissait son odeur m'arriver et entrer à l'intérieur de moi comme une douceâtre vapeur d'alcool, comme une aiguille sombre. Par bonheur, nous savions l'un et l'autre que nous commettrions une grave erreur en nous laissant aller, nous savions elle et moi ce que nous avions à perdre pour une partie de jambes en l'air, combien cela pourrait nous coûter.

Michel ne la contentait plus beaucoup, pour ce que j'en savais — d'après ce qu'il m'en disait et si j'en jugeais aux quasi-avances qu'elle me faisait, aux regards qu'elle me lançait de plus en plus hardiment. Une légère tristesse planait au-dessus de ça, sans doute, mais ni elle ni moi n'espérions que les choses pourraient s'arranger un jour à ce propos.

« Retire ta main de ma cuisse, lui demandai-je. Tu as vu l'heure qu'il est? Tu ne vas pas te coucher? N'espère pas me faire bander dans l'état où je suis. Anne, je suis mort.

— Je repense à cette fille. Je sens que je ne vais pas pouvoir fermer l'œil. On mourait de chaud dans cet appartement, j'ai failli avoir un malaise, tu pourrais être un peu gentil… On dirait qu'elle cherche à attirer ton attention, non? Ce n'est pas ton avis? »

☛ La fille se prénommait Gloria, elle avait une vingtaine d'années et elle haïssait Marc avant même de le connaître. Les derniers jours de l'automne étaient assez frais — et parfois le vent les rendait glacés — si bien que les premières rencontres entre les deux se firent à l'intérieur, sous les néons, sur de dures banquettes, dans des endroits publics, suréclairés, climatisés, complètement dénués de charme et même sinistres eu égard au peu d'intimité qu'ils offraient.

« Oui, je vis avec une femme, mais je ne la vois plus beaucoup. En tout cas, comme tu as pu le constater, nous avons une grande chambre d'amis et elle est à ta disposition. Tu ne me gênes absolument pas. Si ça peut te dépanner. Il y a de la place.

— Ça veut dire quoi, vivre avec quelqu'un, quand on le voit pas beaucoup ?

— Ça veut dire qu'on est toujours étonné quand il revient. »

Elle pianota sur la table avec ses ongles — évitant de le regarder. Agréable profil.

Il pouvait parfaitement deviner le sentiment de haine qu'il inspirait à cette fille, ce jet brûlant qu'elle dirigeait contre lui, presque se pinçant les lèvres, se tordant la bouche, presque gémissant — il aurait fallu porter des lunettes, sinon —, mais visiblement quelque chose d'autre la poussait à rester près de lui. Une force aussi puissante.

« Écoute, lui dit-il, j'aimerais que tu sois vraiment à l'aise avec ma proposition. Je ne sais pas si Alexandre te parlait beaucoup de moi, mais tu dois savoir que je tiens à ma tranquillité, je suis connu pour ça, alors entends-moi bien, tu ne me causerais pas la moindre gêne. Je ne te le proposerais pas si cela me posait le moindre problème. Crois-moi. Tu aurais un endroit à toi. Tu n'aurais pas à partager les toilettes et la salle de bains avec une armée, la maison est assez grande, tu aurais ton propre frigo, qu'en dis-tu? J'aime bien *Gloria*. J'aime bien ce prénom.

— Ça m'est complètement égal, que vous l'aimiez ou non, déclara-t-elle.

— Les derniers temps, Alexandre employait ce ton avec moi. Ça ne me donnait pas tellement envie de l'aider.

— Écoutez-moi. J'ai du mal à accepter une chose que vous lui avez refusée. Ça vous étonne? J'ai du mal. Quelque chose ne passe pas. »

Il se frotta le menton. « Gloria, soupira-t-il, cela étant dit, j'aimerais que tu t'occupes de tes affaires. Je demande un peu de compréhension en échange de mon hospitalité. Si ça ne te fait rien. Je n'ai pas de comptes à te rendre. Lorsque j'aurai envie que nous parlions de lui, je te le dirai. Nous arrivons fin novembre. Ça fera bientôt juste un an. C'est encore tôt. »

Elle fit un geste brusque et renversa son verre sur le comptoir. Difficile à interpréter. Elle ne bougea pas d'un cil, quoi qu'il en soit, ne fit absolument rien pour le redresser.

Quant à lui, il était trop tard pour reculer. Il étudia la question sous tous les angles, durant une bonne partie de la nuit, se tourna et se retourna dans son lit comme s'il avait abusé d'amphétamines, échouant à mettre en place une solution de repli relativement honorable — maintenant qu'il se sentait moins sûr de réellement tenir à son invitation, voyant comme ça démarrait, maintenant qu'il hésitait.

À l'aube, le téléphone sonna et il entendit la voix d'Élisabeth qui lui demandait de décrocher, mais il ne broncha pas.

Rien de tel pour passer une mauvaise nuit que ce pénible mélange de paralysie et de nervosité. Au matin, il se força à se lever. Avant de sortir, il vérifia qu'Élisabeth n'avait laissé aucun message particulier sur le répondeur. Il faisait un peu frais. Le Nord commençait à reprendre le pouvoir, les feuilles s'envolaient, les jours raccourcissaient. Il abandonna sa voiture à la gare et emprunta les transports en commun pour se rendre de l'autre côté de la ville. Il se demandait où sa femme se trouvait à présent, ce qui la retenait, cette fois, pour quel invraisemblable motif ne rentrait-elle pas. Il vivait pratiquement seul depuis deux ou trois mois. Il fallait s'appeler Anne ou Michel pour croire une seconde qu'Élisabeth allait revenir et reprendre une vie normale avec lui. Il n'y avait vraiment plus aucune chance, il suffisait d'entendre leurs conversations au téléphone, leurs maigres et pitoyables échanges, pour savoir lire dans l'avenir. Il était si rare, d'une manière générale, de pouvoir rattraper les choses, qu'il préféra en sourire. Les stations étaient encore vides, les quais presque déserts, puis les wagons sortaient de terre et s'élevaient au-dessus du fleuve que l'aube commençait à pâlir, en amorçant une large boucle qui pointait vers l'ouest. Son vélo l'attendait à l'arrivée, un modèle en carbone qu'il laissait à la consigne et qui lui donnait son comptant d'exercice matinal, de saine dépense avant de se mettre au travail. Un jour, il finirait par se le faire voler, il le savait, et cette perspective n'était pas agréable. Même si l'on n'emportait rien dans sa tombe.

Les produits qu'il employait pour ses compositions, en dehors de menacer de le tuer, en dehors de lui ronger la cervelle et les poumons, posaient depuis quelque temps un problème de résistance à l'environnement. De *non*-résistance, plus précisément. Des matières se dégradaient, des vernis sautaient, des colles rongeaient le plastique, des couleurs passaient ou cloquaient au contact de l'air, des fibres se décomposaient, le plexi se fendait après avoir jauni, etc., bref son travail souffrait de détérioration accélérée, pâtissait de ses méconnaissances chimiques. Une douzaine de pièces étaient revenues afin qu'il les remît en état. C'était la moindre des choses étant donné leur prix. Il fallait également tenir compte du danger qu'elles s'étaient mises à représenter dans un appartement où circulaient des enfants, où elles tombaient des murs, se décrochaient de leurs cadres, s'effondraient comme des châteaux en ruine et retournaient à la poussière, au néant.

Il y avait du travail. Sur une série entière, des joints de silicone avaient claqué au contact d'un élément en fusion et la femme qui avait acquis ces œuvres, et avait fait fortune dans le prêt-à-porter ou Dieu sait quoi, râlait dans toute la ville.

Le jour se levait tout à fait lorsqu'il ouvrit l'atelier. Il avait la chance, à quarante-cinq ans, de pouvoir se coucher tard — et même absolument torché — et d'être debout à l'aube, entièrement opérationnel, dans la fraîcheur du matin clairet, prêt à affronter la journée une fois encore. Sa mère avait toujours dit qu'il s'agissait d'une bénédiction. Qu'il tenait ça de son salaud de père.

Il enfila une combinaison. Ajusta un masque sur son nez. Lorsqu'il remarqua la présence de Gloria au milieu de la cour, il était en train d'examiner l'embout du pistolet à colle qui semblait obstrué.

« Tu es très matinale pour ton âge, lui lança-t-il.

— Oui, je rentre me coucher. »

Il finit par hocher la tête en souriant.

« En tout cas, reprit-elle, j'ai réfléchi à votre proposition. La réponse est oui. Je suis venue vous dire que j'ai préparé mon sac.

— C'est bien. Tu t'es enfin décidée. Ça me fait plaisir de te rendre service. Alex aurait été content que je le fasse. Je le sais. Que je te tende un peu la main, que je sois charitable envers toi. Je vais te donner des clés. Gloria, c'est presque moi qui ai envie de te remercier. Crois-moi.

— Je dois passer prendre mon sac. Vous ne m'aideriez pas à le porter ?

— Que je t'aide à porter ton sac ? Il n'a pas de roulettes ?

— J'en sais rien. Je n'ai pas regardé. »

Il hocha doucement la tête. Puis il finit par lui indiquer une chaise. « D'accord. Tu n'as qu'à t'asseoir là. Attends que j'aie fini. J'en ai pour une petite heure. »

☛ Michel avait l'air de se demander ce qu'une telle situation allait donner. La voyant traverser le salon en peignoir, il sembla se recroqueviller imperceptiblement sur son siège, puis déclara qu'il ne pouvait fournir d'explication au fort sentiment de réticence que Gloria lui inspirait, mais qu'il tenait à me mettre en garde. « Marc, je ne la sens pas, que veux-tu que je te dise ? Je ne vais pas te dire que je la sens bien quand c'est exactement le contraire. Tu veux mon avis, je te le donne. Et tu pourrais être son père, pour commencer. C'est franchement écœurant.

— Pardon, mais de quoi parles-tu au juste ?

— De rien. Des problèmes qui ne manquent pas de surgir quand un type de ton âge cohabite avec une fille de vingt ans. Pour moi, tu ne vaux pas mieux qu'un autre. Mais qu'est-ce que j'ai fait. Quel imbécile j'ai été. Toute la peine que je me suis donnée. Si j'avais su.

— Mais de quoi tu parles ?

— Merde, on dirait tout simplement qu'elle a emménagé chez toi ! Si j'avais su. Je ne me serais pas plié en quatre, je ne me serais pas donné tout ce mal pour la retrouver. J'ai vraiment été con. Dorénavant, elle est donc ici chez elle, hein, c'est bien ça, je ne me trompe pas ? » Il siffla bruyamment entre ses dents. « Mais est-ce que tu mesures toutes les implications, enchaîna-t-il d'une voix sombre. Que fais-tu des règles les plus élémentaires ? »

Nous étions amis depuis de longues années. J'avais le sentiment que je devais tenir compte de ses réserves et j'y méditai un instant — une simple poignée de secondes —, puis m'empressai de le rassurer. Tout était beaucoup plus simple qu'il ne le pensait. Gloria avait été la petite amie d'Alexandre et cela me suffisait. Il ne fallait pas aller chercher plus loin. Seul un père pouvait ressentir ces choses. Fût-il un père de piètre qualité, le modèle cheap, en fer-blanc.

Pour autant, je ne le convainquis pas. « Élisabeth va me tuer, se mit-il à gémir.

— Arrête avec Élisabeth. Arrêtez avec ça, par pitié. Ça devient grotesque. Vous allez vous accrocher à cette chimère encore longtemps ?

— Nous la connaissons mieux que toi, mon vieux. Vous êtes faits l'un pour l'autre.

— Très bien. Formidable. Écoute, tu n'es coupable de rien. Sois rassuré. Sois tranquille. Je te remercie encore d'avoir retrouvé Gloria. Je vais organiser une rencontre, un repas, qu'en dis-tu ? Il faudra bien que vous fassiez connaissance tôt ou tard.

— Écoute, Marc. Bon. Sincèrement, je ne sais pas.

— Oh, s'il te plaît. Ne sois pas stupide. Ne fais pas ta gonzesse. Tu pourrais te mettre de mon côté, quelquefois. »

Il était venu m'apporter de nouveaux sprays que je

devais tester pour une des boîtes qui participaient au financement de mon travail. La richesse du nuancier était saluée jusqu'aux confins de l'Europe — Banksy utilisait la même marque — de même que la résistance des produits aux intempéries. Cela revenait cher, mais parfois, une seule couche suffisait.

Il sortit les bombes d'un sac et les aligna sur la table basse en jetant de brefs coups d'œil en direction de la porte par laquelle Gloria avait disparu.

« Finalement, tu es encore quelqu'un d'impressionnable », déclarai-je.

Il soupira : « Tu es comme un jeune frère un peu idiot pour moi, je me sens responsable. »

Il n'avait pas besoin de le dire. L'attention qu'il me portait était montée d'un cran à la mort d'Alex, puis s'était renforcée avec l'éloignement d'Élisabeth — il n'agissait plus que pour ma santé et dans mon intérêt, si bien qu'Anne lui lançait parfois : « Mais fiche-lui donc la paix. Cesse de te pencher systématiquement sur lui » et recevait une grimace en retour.

Michel avait cinq ans de plus que moi. Aujourd'hui, en dépit des adolescents que nous avions été, des histoires où nous avions trempé plus tard, nous étions devenus respectables. Cette chose à peine croyable — mais qui n'avait pas que de mauvais côtés. De vrais bourgeois. Des hommes qui étaient *dans le truc* jusqu'au cou. Fermement installés. Blancs comme des lys. Je le regardai marcher vers sa voiture. Le dos voûté par le souci que je lui causais et par le reste. Il se tourna et jeta un dernier coup d'œil en direction de la maison.

« Ça ne lui plaît pas, fit Gloria dans mon dos. Ça ne lui plaît pas *du tout.* »

Je fis un geste vague. « Bah, peu importe que ça lui plaise ou non. Peu importe. Tout va bien. Continue de t'installer. As-tu assez de placards ? As-tu besoin d'étagères ?

— Non, ça va. Davantage de serviettes dans la salle de bains, si possible. Je prends des bains plutôt en fin d'après-midi.

— Très bien. J'irai prendre mes douches au rez-de-chaussée. Je ne suis pas très bain, de toute manière. Je ne déteste pas, mais seulement de temps à autre.

— Je n'ai pas l'intention de rester très longtemps.

— Gloria, c'est toi qui vois.

— Le jour où votre femme reviendra, j'irai ailleurs.

— Pourquoi pas ? Il y a d'assez beaux campings à la sortie de la ville. Je plaisante. Écoute-moi. Élisabeth ne reviendra pas. Je ne sais pas sur quel ton je dois le chanter. Il n'y a *aucune* raison pour qu'elle revienne. C'est une femme intelligente. Gloria, je ne vais pas te le répéter cent fois. Tu es la bienvenue dans cette maison. C'est tout. Essayons de vivre ça simplement. Ne compliquons pas tout. »

Elle fit mine de s'intéresser aux échantillons que Michel avait alignés devant moi. « C'est quoi ? »

Je revoyais cette scène au matin de l'enterrement d'Alex, lorsque Julia s'était précipitée sur moi et m'avait brisé la mâchoire avec un coup-de-poing américain dont elle n'a jamais voulu révéler la provenance. Une fois de plus, elle me jugeait responsable de tous nos ennuis, de la mort de notre fils par incompétence, par défaillance paternelle. Sous le choc, j'étais allé valser contre une pyramide d'aérosols dressée dans le hall de mon sponsor — Banksy avait le même. Il y en avait partout. Un chaos. Un très mauvais souvenir.

« De la peinture en bombe », répondis-je.

Je lui expliquai que je ne peignais plus sur les murs mais sur des toiles ou tout autre support transportable et susceptible d'entrer dans un salon. « On prend ainsi moins de risques, lui expliquai-je, financièrement parlant. Plus c'est petit, plus on vend. J'ai fait mon plus gros chiffre en réalisant des personnages de vingt centimètres de haut. Au prix où est la résine, fais le calcul. J'ai cru que j'allais me transformer en évadé fiscal. Ce n'est qu'à l'idée de me faire cracher dessus que j'y ai renoncé. On ne vit qu'une fois, on n'a pas d'âme de rechange. »

☛ Anne estimait que Michel devenait impuissant. Sexuellement. Elle venait également voir comment se passaient les choses entre Gloria et moi.

« Anne. Tu ne vas pas t'y mettre à ton tour. Qu'est-ce qui vous prend ?

— Ce n'est pas exactement comme si tu louais une chambre à une étudiante. Ce n'est pas tout à fait ça. Je te rappelle que tu ne vis pas seul. Ne me demande pas ce qui me prend. »

Sa bouche avait un pli amer. Jamais elle n'aurait reconnu avoir un droit quelconque sur moi, mais c'était pourtant bien le cas et l'éclat d'animosité qui brûlait dans son regard ne laissait place à aucun doute.

« As-tu seulement envisagé que cette fille puisse avoir une idée derrière la tête ? »

Elle regarda ailleurs avec une expression un peu douloureuse.

« Tu as tort de remuer tout ça, reprit-elle. Tu ne peux rien changer à la mort d'Alex. Tu ne t'en serais pas sorti sans nous. Combien de fois t'es-tu effondré dans mes bras ? Combien de pilules t'a-t-il fallu avaler pour garder la tête hors de l'eau ? Tu l'as oublié ? La chose t'a brûlé mais tu veux retourner y mettre ta main ? Tu n'es pas un peu fou, des fois ? »

Je me penchai pour lui caresser la cuisse, ce qui eut tôt fait de la calmer. Ce n'était pas très honorable de ma part de jouer avec ce désir qu'elle avait de moi, c'était comme de la tenir en otage, mais je n'étais pas en état d'avoir une discussion avec elle concernant la présence de Gloria sous mon toit. « Ne te fais pas de bile, lui dis-je. Ne te fais donc pas de bile. L'épreuve nous rend plus fort, tu le sais bien. » Je lui caressai également la nuque — au risque de la faire défaillir. « Voilà, calme-toi. Le monde est toujours là. Rien n'a changé. Tu sens bon. En tout cas, Michel ne m'a pas dit un mot là-dessus.

— Il ne veut en parler à personne.

— Eh bien, c'est incroyable, ce que tu me dis là. Tu es sûre ?

— Les cachets n'ont pratiquement plus d'effet sur lui. La plupart du temps, il bande à peine. Tu vois dans quelle situation je suis. Tu es son ami. Tu pourrais lui en parler.

— C'est un sujet délicat. Ce n'est pas aussi simple. L'amitié n'est pas un sésame universel. »

Par-dessus l'épaule d'Anne, j'apercevais Gloria en contrebas, près d'un bosquet de jeunes chênes rouges qui remuaient faiblement dans l'air, pendue à son téléphone — elle m'hypnotisait, réellement Qu'avais-je à perdre ? Me restait-il quoi que ce soit que je ne puisse remettre en jeu, qui vaille vraiment le coup, qui fasse réfléchir ? Que préserver ? Que sauver, que garder ? La réponse était simple.

« Est-ce qu'au moins il consulte ? fis-je.

— Lui, tu veux rire. Lui, consulter? Voir un médecin ? Il se laissera plutôt mourir. Si tu savais toutes les histoires qu'il a faites pour une simple prise de sang. Un véritable enfant.

— Anne, en tout cas, tu sais bien sûr que ces problèmes ne peuvent s'aborder qu'avec la plus extrême prudence. Il faut se montrer très habile. Avoir du tact, faire preuve de psychologie. Un mot de trop, un geste mal placé et tu fiches une vie en l'air. Tu enfermes le bonhomme vivant dans son tombeau. C'est malheureux à dire, mais la peur de l'échec engendre l'échec.

— Je sais, je suis au courant. Pour qui me prends-tu ? Je ne l'ai pas regardé en éclatant de rire. Je ne me suis pas esclaffée. Bien sûr que non. J'ai bien trop d'affection pour lui. Mais quand même. Je suis sexuellement frustrée. Là, telle que tu me vois.

— Écoute, évite de me faire ce genre de confidence. Nous avons des règles. Respecte-les. En tout cas, je vais lui parler. Ce n'est peut-être que passager.

— Malheureusement pas, je le crains. Je suis une femme, tu sais. Les femmes peuvent sentir ça. Le dernier rapport que nous avons eu remonte au mois dernier, pour te donner une idée.

— Parfait. Je vois. »

Je la retrouvai plus tard, le soir, à un vernissage qui se poursuivait à l'intérieur d'un loft aménagé au dernier étage d'une ancienne fabrique de textile, dans un décor de poutrelles fraîchement repeintes, de murs de moellons bruts, de spots, de baies coulissantes — la musique était forte, une vidéo quelconque était projetée au plafond. J'étais passablement éméché et entouré d'abrutis qui me faisaient rire. Anne m'entraîna vers un petit groupe de filles qui se penchaient à tour de rôle au-dessus d'un miroir et se frottaient les gencives — il m'arrivait certains soirs d'être comme K.-O. debout, totalement sonné, l'esprit soudain noir après s'être illuminé, et il arrivait parfois que ces ténèbres fussent nécessaires, que leur manque, leur absence devinssent absolument insupportables au bout d'un certain temps et qu'il fallût remettre ça au plus vite, le soir même si possible, si l'on souhaitait pouvoir continuer sa route.

La disparition d'Alex n'avait pas arrangé mon rapport à toutes ces substances. Elle l'avait amplifié. Peut-être n'étais-je pas encore devenu le complet alcoolique, ni le parfait junkie que les démons attendaient en claquant des mains, mais je n'en avais plus pour longtemps si je gardais ce rythme.

« Où est passé Michel ? demandai-je après m'être de nouveau redressé devant le miroir que me tendaient les filles. Je pensais qu'il venait avec toi.

— Je ne sais pas où il est, fit-elle sur un ton sec. Je n'en ai pas la moindre idée. »

Nous nous mîmes à danser sur une musique trépidante et tout cela donnait soif. J'allai chercher deux verres. Le serveur me demanda si je les voulais avec un soda normal ou un light. « Prenez ce qui vous tombe sous la main, lui dis-je. Peu importe. Il commence à être tard. » Je transpirais encore de m'être ardemment et longuement démené en serrant les poings, les yeux fermés, secouant la tête, me tortillant et tapant du pied comme un damné.

« Je vous prépare ça, fit l'autre. Vous devriez aller vous sécher pendant ce temps. Ne restez pas comme ça. Vous avez quelqu'un pour vous ramener ? »

Je l'observai un instant, il s'agissait d'un jeune homme aux cheveux châtain clair, pourvu d'une fine moustache. « J'ai l'air incapable de rentrer chez moi par mes propres moyens ? fis-je. Mon vieux, mets des lunettes. Je pense que tu es nouveau dans le coin. »

Je me dirigeai cependant vers les toilettes car des fumeurs s'étaient collés à une fenêtre ouverte et l'air tiède me glaçait.

J'allai pisser puis me frictionnai la tête. Le jeune gars sortit alors de l'ombre et se colla aussitôt à moi, referma ses mains sur mes fesses et me lécha littéralement le visage tandis qu'il enfonçait une de ses cuisses entre les miennes.

Mais finalement, je le repoussai. « Ça suffira pour cette fois », dis-je.

☛ Il avait toujours entendu dire que son fils était un garçon génial et lui-même en était relativement persuadé. De ce point de vue, Gloria l'intéressait énormément. Pourquoi avait-elle tapé dans l'œil d'Alex, de quelle manière s'y était-elle prise pour se faire remarquer ? Peut-être, se disait-il, devait-on s'attendre à une apparition, à voir surgir un ange au bout du compte. Alex ne l'avait évidemment pas choisie au hasard. Ne pas poser les yeux sur elle lorsqu'elle se trouvait dans les parages, regarder ailleurs tandis qu'elle se chaussait par exemple, ou examinait ses ongles, ou s'étirait, ou Dieu sait quoi, était un exercice auquel il avait très vite renoncé.

Le soir tombait, le ciel devenait mordoré. Il lui demanda si elle était bien installée. Elle hocha la tête.

« En tout cas, c'est plus gai. C'est mieux qu'avant, déclara-t-elle en regardant autour d'elle.

— Dommage pour la Gibson, fit-il. J'y tenais. C'était la seule chose de cette maison à épargner.

— Ah bon ? Désolée. »

Il lui proposa un verre de vin. « Vous n'auriez pas une bière, plutôt ? » Il en avait mis au frais dans le bac à légumes, en dépit de sa conscience et du souvenir qu'il gardait d'elle vomissant dans le métro, aspergeant le sol à un mètre à la ronde avant de s'y rouler. Il n'aurait pas su dire à quel point cette image le dérangeait — durant une bonne minute.

Il lui tendit une bière de marque assez courante, mais à bonne température.

« Vous devez vous emmerder, ici, fit-elle en enfonçant l'opercule de sa canette. Faut aimer la tranquillité.

— Oui, mais on finit par y venir. Tôt ou tard, mais on y vient. »

Elle hocha de nouveau la tête.

« Ça faisait quelque temps que je vous suivais. Je savais que nos chemins allaient se croiser. Rien ne pressait.

— Je trouve ça épatant. Cette situation, cette rencontre, je trouve ça épatant. C'est tellement naturel. Tu n'es pas très loin d'être ma belle-fille, non ? Pour ma part, c'est ce que je ressens.

— Ça aurait pu se faire. On a été à deux doigts. »

Une année entière s'était presque écoulée depuis la

disparition d'Alexandre mais la douleur était encore très forte et Gloria la ravivait, pour le meilleur ou pour le pire. La dernière lueur avant l'obscurité.

Il faisait encore doux pour un soir de novembre. L'air qui entrait par les baies entrouvertes avait une odeur de terre légèrement tiédie.

« Je vous en ai voulu à mort, fit-elle.

— Oui, j'ai cru comprendre. Le message était assez clair.

— Pour tout le mal que vous lui avez fait. »

Il préféra ne pas répondre. Il refusait d'endosser tous les crimes.

« Je vais m'occuper du jardin, déclara-t-elle après avoir fini sa bière. Dès demain, je brûlerai des feuilles mortes derrière la maison. »

Il plaisanta : « Je peux te laisser sortir les poubelles, si tu veux. Ou te donner du linge à repasser... »

Elle se servit une seconde bière. « D'accord pour le repassage, fit-elle en le prenant au dépourvu. J'ai besoin de gagner un peu d'argent. »

Il l'observa un instant sans rien dire, tandis qu'elle vidait tranquillement sa canette, tournée vers l'extérieur, le regard vague.

Le lendemain matin, il trouva six canettes vides, alignées sur la table basse. Elle n'avait pas encore les traits définitivement bouffis. Lui, oui. Il avait beau se masser le cou, se mettre des crèmes à base de sang de dragon.

Gloria était encore une belle fille, étonnamment attirante malgré la froideur qu'elle affichait, malgré l'éclat sombre de son regard et le pli amer de sa bouche qui ne l'avait guère quittée depuis qu'ils s'étaient rencontrés. Mais il lui donnait quelques jours pour s'adapter, il comprenait tout à fait la violence de la situation. Il n'était pas pressé. Aucune urgence ne l'attendait. Il gagnait assez d'argent pour penser à autre chose et il envisageait de se mettre plus ou moins à sa disposition dans un premier temps, pour lui permettre de s'installer dans les meilleures conditions. Élisabeth avait peu de chances de réapparaître, mais eût-elle ressurgi tout à coup que ça n'aurait rien changé — il se faisait fort de lui expliquer de quoi il retournait au juste, le sens de cette petite mission que le sort lui imposait, si petite, si ridicule au regard de ce que Gloria représentait pour lui.

« C'est uniquement de la sensiblerie, déclara Michel. C'est du pur cinéma. Elle ne fait pas partie de ta famille. Elle n'est rien pour toi. Tu dois te sortir ça de la tête. Qu'est-ce que tu fabriques ? Veux-tu me dire ce que tu fabriques. Je suis ton ami, je ne suis pas censé te mettre en garde ? As-tu envie d'attirer l'attention sur nous ? »

Ils discutaient dans l'atelier, en emballant des galettes de plexiglas qu'il avait gravées puis passées au chalumeau, puis retravaillées, puis signées au fer à souder quelques jours plus tôt.

« Je suis content de ces petits formats, prétendit-il.

— Je n'ai pas dit que je n'en étais pas fou, répliqua Michel en enveloppant les œuvres dans du papier bulle. J'ai dit que ce n'était pas ce que je préférais. Il y a une sacrée nuance.

— Sois gentil, borne-toi à vendre mon travail. Si c'est pour me dire des conneries, si c'est pour faire comme dans *Artpress*, garde tes réflexions. Au fond, vous n'y connaissez rien, vous êtes trop limités. C'est si décourageant, quelquefois, d'avoir affaire à vous. »

Ils transportèrent les plexis jusqu'à la voiture de Michel puis fumèrent une cigarette. Le feuillage des arbres alentour était jaune et rouge, encore luisant des faibles pluies de la matinée qui avaient traversé le ciel. Anne sortit du bâtiment à son tour et verrouilla l'atelier.

« Que fait-elle de ses journées? demanda-t-elle en feignant de vérifier que toute la marchandise était là. J'aimerais bien le savoir.

— Elle doit tourner en rond, ricana Michel. Que veux-tu qu'elle fasse d'autre? Tu sais, à propos, il ne faudrait pas qu'elle nous ramène ces trucs que l'on attrape dans les hôtels et dans les trains. Je sais où elle couchait. Ça ne te fiche pas la trouille? Mon vieux, tu as tort de sourire. Il paraît que les nids vont se nicher jusque derrière les prises. En un clin d'œil, tu peux en être infesté, ta tranquillité est finie. Des gens ont jeté leur matelas neuf et leur mobilier à peine payé par la fenêtre. »

Marc haussa les épaules. De bon matin, il avait

écouté en boucle *Sorrow* de The National et de longues plages lui revenaient à présent et le revigoraient — tant de beauté, de puissance, de justesse, revigorait.

Anne lui toucha le bras. « En retires-tu quelque chose, au moins ? Est-ce qu'elle en vaut la peine ? »

Il faisait un petit vent légèrement frais et les cheveux d'Anne ondulaient autour de son visage. Puis il regarda Michel. Puis les regarda tous les deux.

« Vous ne croyez pas que vous feriez mieux de m'aider ? » leur demanda-t-il.

Michel fronça les sourcils : « Mais qu'est-ce que tu racontes, grimaça-t-il. Que nous t'aidions à quoi ? À installer cette fille dans ta maison ? Tu nous as bien regardés ? »

Ils le considéraient tous les deux d'un œil noir.

Marc soupira. « Prenons un verre ensemble, déclara-t-il. Retrouvons-nous au Brunswig. »

Ils se raidirent.

Anne réagit la première. « Au Brunswig ? fit-elle sur un ton peu assuré. Eh bien... Au Brunswig, je ne sais pas... Tout le monde nous connaît, là-bas... N'est-ce pas... heu... n'est-ce pas un peu *prématuré* ? »

Michel ricana : « Tu comptes faire une annonce ? Nous afficher avec elle ? Les gens sont ouverts *jusqu'à un certain point*, mon vieux. À qui vas-tu expliquer ça, qu'il ne s'agit que d'un innocent dépannage ? À quel crétin vas-tu expliquer ça ? Écoute. Je ne suis pas sûr du tout de vouloir cautionner cette histoire. Je ne veux pas être le complice d'un type absolument sans vergogne, qui ne respecte rien. J'ai une morale. Ils vont détester ça, je te le promets. Tes oreilles vont siffler. Et puis Élisabeth est mon amie. Je ne veux pas que ça vienne me ronger jusque dans mon sommeil. »

Il n'était pas toujours très facile de savoir si Michel plaisantait ou non.

☛ À cette fin, je devais m'y reprendre plusieurs fois, fermer les yeux puis les rouvrir sur lui jusqu'à ce que l'étincelle se produise. Je devais me concentrer. Était-il sérieux ou pas ? Lorsque nous étions étudiants, les filles n'aimaient pas sortir avec lui car elles le trouvaient froid et cruel. Il leur suffisait de passer un moment en sa compagnie, de l'écouter parler durant quelques minutes pour s'enfuir à toutes jambes. Anne était la première — et par la suite, la seule — à avoir pris toute la mesure du personnage, à découvrir celui qui se cachait derrière le type assez peu avenant — son sourire inquiétant, ses airs de conspirateur — qu'il incarnait de prime abord. Certes, il était froid et cruel, mais aussi doux et chaleureux, mais aussi réfléchi et tranchant. Politiquement très à gauche, très engagé, très véhément — nous avions fait partie du même groupuscule à vingt ans, Anne et moi avions été sous ses ordres, avions exécuté des « missions » sous son autorité —, mais de cela il restait à peine de quoi alimenter quelques discussions de fin de soirée entre vieilles connaissances, les angles s'étaient arrondis avec le temps, avec le poids des charges, l'inertie, la trahison des chefs — cependant que le sommet de son crâne se clairsemait comme de la terre brûlée, que ses valeurs chancelaient à mesure que son cœur découvrait les bienfaits que l'on tirait d'un canapé en peau de buffle, des produits Kanebo, des vacances en Toscane, du cachemire trois fils et des cinq étoiles. Les cinq étoiles, essentiellement. Desquels, certes, nous parvenions à obtenir des rabais époustouflants pour le prix d'un baratin quelconque, ce qui permettait de se ruiner à bon compte, de s'offrir la meilleure part de bon temps possible — mettons le Château Marmont à 100 $ la chambre si on la conservait un mois, ce genre. Pratiquement donné. Et les avalanches de poudre qui se consommaient à cette époque. Comment imaginer un père célibataire se débrouillant au milieu de tout ça. Combien avaient su résister, combien de centaines de milliers de fêtes avait-on données à travers le pays ? Combien s'étaient montrés des parents exemplaires ? Combien de fois moi-même n'avais-je pas gloussé en me redressant, les narines blanchies ou après avoir vidé une bouteille d'alcool ou fumé un joint ?

J'adorais ça. J'adorais être défoncé et danser sur de la musique. Je n'étais pas *mécontent* d'avoir un fils. Ne m'étais-je pas mis à le trouver joli garçon au bout de quelques mois, quand il avait eu fini de ressembler à un monstre grimaçant et fripé ? N'avais-je pas félicité Julia pour le cadeau qu'elle nous faisait — même si je ronchonnais à la pensée de l'argent que nous allions dépenser en baby-sitters sur la base de cinq ou six sorties par semaine.

Certes, je m'arrangeais pour ne pas mélanger drogue et alcool un même soir, mais je ne convainquais personne, semblait-il. Julia ne me donnait pas le bon exemple. Elle s'était mis en tête qu'elle avait consacré à notre enfant une année entière de sa vie et que mon tour était venu, que je trouverais un repas froid dans le frigo.

Parfois, le repas en question volait à travers la pièce lorsque je me voyais privé de ces moments de distraction, d'abandon — d'autant qu'elle en revenait les joues rouges, le regard illuminé, les lèvres gonflées et poussant presque un soupir d'extase en y repensant. J'avais même tracé une carte des soirées dont elle m'avait privé et dont j'avais ensuite entendu parler durant des semaines. On aurait dit un plan de métro dessiné par un enfant furieux. Puis j'avais coulé une résine dessus et l'avais exposée avec un laïus légèrement abscons. J'avais fait un tabac, mon téléphone s'était mis à sonner et des galeries s'étaient mises à me faire des propositions et souhaitaient parler rapidement d'argent avec moi. Parler d'argent. Mon travail les intéressait beaucoup moins que les perspectives de bénéfices qu'elles pourraient tirer de son commerce. Tellement d'argent circulait alors dans le monde de l'art, tous ces jeunes types installés à la City, tous ces flambeurs milliardaires qui passaient leurs commandes par téléphone, après avoir jeté un simple coup d'œil sur une mauvaise photo envoyée par fax. Des millions de dollars. Des millions de livres sterling. Des types qui appelaient depuis leur yacht ancré dans la baie de Hong Kong et qui n'étaient même pas foutus de prononcer mon nom correctement — mais qui envoyaient leurs chèques assez rapidement, je dois le reconnaître.

« Nous nous connaissons depuis longtemps, m'avait déclaré Michel un matin. Laisse-moi être ton agent. Laisse-moi m'occuper des contrats. Je suis loin d'être con. J'en suis à des kilomètres. »

Je n'avais pas réfléchi longtemps. « Banco ! lui avais-je répondu. Que dirais-tu de dix pour cent ?

— Hum. Pour te parler sincèrement, j'espérais plus.

— Pardon ?

— Tu dois considérer une chose : tu vas avoir besoin de moi. Tu vas avoir besoin de quelqu'un en qui tu puisses avoir confiance. Quelqu'un pour gérer, organiser, ouvrir l'œil, tenir les comptes. Je suis le meilleur choix que tu puisses faire. Mais dix pour cent. Je ne suis pas en train de te demander l'aumône. Soyons sérieux. Vingt-cinq. Je suis ton ami.

— Tu parles d'un quart de ma production, d'un quart de mon temps ? D'un quart de ma vie ? Est-ce que tu te sens bien ? Tu dois être complètement fou. »

Il n'avait pas tout à fait tort, néanmoins. Comment aurais-je pu m'occuper d'un quelconque business, comment en aurais-je trouvé le temps ? Je l'avais considéré un bon moment sans prononcer une parole — nous remontions lentement les rayons d'un supermarché à l'occasion de l'un de ces ravitaillements en alcool auxquels nous nous étions habitués, non pas tant par souci d'économie que par peur de manquer, par peur de trouver les magasins fermés et n'avoir plus rien à boire en plein dimanche après-midi —, puis j'avais déclaré que quinze constituait ma dernière offre. « D'accord, avait-il fait. Embrassons-nous. Dix-sept. »

Aujourd'hui, presque vingt ans plus tard, je ne regrettais pas notre arrangement. Il ne m'avait pas déçu. Il ne s'était pas encore sauvé avec la caisse. Il me vendait à un bon prix. Il ne rabâchait pas le passé. Il assumait le type qu'il était devenu. Je le respectais pour ça. Je ne me sentais pas meilleur que lui. Et je pouvais frapper à sa porte à n'importe quelle heure, il ne me la claquait pas toujours au nez.

Parfois, Anne devait intervenir pour qu'il me fasse entrer et ensuite l'ambiance devenait un peu lourde car, encore une fois, elle et moi avions couché ensemble pendant un bon moment avant que Michel ne lui déclare sa flamme et la chose flottait toujours plus ou moins dans l'air.

« Tu n'es pas jaloux, j'espère ? », lui avais-je demandé après qu'un soir il eut fait toute une histoire en prétendant avoir surpris certains attouchements entre Anne et moi. Je soupirai. « Ne me dis pas que tu es jaloux. Mon vieux, nous étions tellement barrés. Nous n'étions plus conscients de rien. Tu conduisais. Tu étais concentré sur la route. Ne va pas faire d'un moustique une montagne. Nous étions *ivres*, d'accord ? Écoute, pourquoi n'as-tu pas épousé une vierge? Pourquoi as-tu cherché les ennuis? »

Je ne regrettais pas un instant d'avoir été l'amant d'Anne durant une année entière — 1987, l'année où la population de la terre avait franchi le cap des cinq milliards. Elle faisait si bien l'amour que j'avais failli tomber amoureux d'elle.

« Cette fille n'est pas pour toi, me disait-il. Que vas-tu en faire? »

Connaissant son penchant pour elle, je m'efforçais de ne pas lui fournir trop de détails sur le caractère bouillant de nos étreintes, sur ce qui pouvait traverser l'esprit d'une fille aussi calme en apparence et la transformer en véritable roulure, en quasi-possédée. « J'ai toujours aimé ça, me confiait-elle. Depuis que je suis toute petite. Je n'y peux rien. »

Nous restions couchés des après-midi entiers et nous devions nous forcer à nous lever pour sortir. Jusqu'au moment où elle jouait avec son slip ou avec autre chose, de telle manière que je bondissais sur elle et la pénétrais de nouveau. Nous ne faisions pas attention à l'heure. En fin de journée, nous avions l'impression de nous être endormis dans un champ d'escargots. Nos membres luisaient, nos mains poissaient, nos corps s'exténuaient.

Je ne me rappelais même plus pour quels motifs nous avions mis fin à notre liaison. Poursuivre une liaison n'était pas simple. J'avais l'impression que nous

nous étions télescopés, que nos morceaux s'étaient éparpillés dans la stratosphère.

« Je n'ai rien télescopé du tout ! avait-elle ragé après que nous nous fûmes aperçus que notre histoire était finie. Tu peux remballer tes images pourries.

— La bonne nouvelle, c'est que Michel est fou de toi.

— Ne me parle pas de ce connard. »

Michel se tenait de l'autre côté du bar, tout à fait droit, tout à fait immobile.

« Anne, je sais que tu m'en veux. Mais ce n'est pas une raison pour t'en prendre à lui. Ça ne t'apportera rien.

— Ta gueule. »

☛ Comme il s'y attendait, ni Anne ni Michel ne se montrèrent au Brunswig.

Il conseilla un cocktail de fruits à Gloria, mais accepta de lui commander un gin-tonic. Ils mangèrent des cacahuètes qui avaient conservé leur petite peau rouge. « Je me souviens qu'il y avait également des œufs durs sur les comptoirs et que l'on pouvait fumer à l'intérieur. »

Elle secoua vaguement la tête. Ses jeunes seins gonflaient son corsage. Sans doute Alex les avait-il tripotés, y avait-il appuyé son front brûlant, les avait-il pris dans sa bouche.

Pour finir, elle se pencha vers lui et lui glissa à voix

basse : « Je vais vous dire ce que je crois : il n'y a aucune rédemption. Jamais. »

Il ricana. « Qu'est-ce que tu en sais ? Quel âge as-tu ? Que peux-tu savoir de ces choses ?

— Ne vous en faites pas pour moi. Vous feriez mieux de vous en faire pour vous. »

Il déplia sa serviette sur ses genoux. « Nous devons nous efforcer de maintenir un équilibre. Tu dois y contribuer, je ne vais pas y arriver tout seul. »

Les couples qui passaient à leur portée dégageaient une douceâtre odeur de fauves. Certains avaient traversé la ville entière pour s'asseoir à l'une de ces tables, d'autres ruminaient dans les embouteillages et appelaient pour confirmer leur réservation. Il adressa quelques vagues sourires, quelques signes en direction de certains. En fait, Gloria le fascinait. Difficile de savoir si cette fascination allait durer, mais son évident intérêt pour cette fille n'avait rien perdu en intensité depuis qu'elle s'était plus ou moins installée chez lui. Il y avait longtemps qu'il n'avait pas ressenti une telle excitation pour une autre personne, cette impression que tout le reste plongeait dans l'ombre et ne comptait plus.

Le Brunswig drainait son comptant d'acteurs, d'écrivains, de créateurs de mode, de gens de télé — ou de gens qui tournaient simplement autour —, de mannequins, de businessmen, de voyous, etc., et il était bien le seul, ce soir-là, à ne pas tenter de mettre un nom sur chaque visage, à ne pas feindre de vouloir passer inaperçu. Ce n'était pas souvent le cas, mais là, il n'avait d'yeux que pour Gloria et il se serait aussi bien satisfait d'un banc public ou d'un hall de gare ou d'un parking souterrain.

On pouvait s'attendre à voir Brad Pitt entrer d'une seconde à l'autre ou Kate Moss sortir des toilettes en trois enjambées, et Dieu sait si Marc avait goûté cette atmosphère, s'il avait frayé dans ces eaux avec délice, durant deux bonnes décennies. Mais il ne voyait plus les choses de la même façon depuis la mort d'Alex, il ne savait plus que faire de la futilité — de même qu'il avait réduit la poudre autant qu'il le pouvait et fait une croix définitive sur sa participation à un quelconque mouvement d'action politique, groupuscule, cellule et autre commando de fieffés irréductibles.

Il proposa de laisser un peu de temps à Michel et Anne, plaidant leur position vis-à-vis d'Élisabeth et leur crainte de le voir s'attirer des ennuis.

« Ils pensent que la disparition d'Alex m'a rendu fragile et vulnérable et que tu as décidé d'en profiter. Et je pense qu'ils ont raison, mais où est le problème ? »

Gloria termina son vague tour d'horizon et se pencha vers lui, le regard brillant. « Je n'y crois pas une seconde. À votre fragilité. À votre vulnérabilité. Arrêtez vos conneries. Vous n'inspirez pas la moindre pitié. Pas une seconde. »

Il examina la carte et passa rapidement la commande — à une blonde qui avait eu un petit rôle dans *The Runaways* et doublé Dakota Fanning dans une scène où elle dégringolait de l'estrade. « Et pourtant, reprit-il sur un ton bienveillant, mon fils n'est plus là et je n'ai plus de nouvelles de ma femme. J'en connais qui se sentiraient fragilisés, à ma place. Ça ne me semble pas absurde. Ça ne demande pas un gros effort d'imagination. »

Il avait failli prendre un bon vin mais elle était revenue à la bière, qu'elle buvait directement à la canette. C'était absolument charmant. Les tables d'à côté n'en perdaient pas une miette. Mais c'était une bonne rencontre, malgré tout, cela ressemblait presque à des rapports de bon voisinage, à l'établissement d'échanges presque cordiaux — qu'il ne fallait surtout pas forcer sous peine de la voir bondir en arrière.

Au dessert, elle s'était à ce point détendue qu'elle lui confia qu'Alex était devenu végétarien quelques mois avant sa mort. Il en resta bouche bée durant une longue minute. Il venait d'avaler une énorme côtelette presque crue, d'une tendresse inimaginable. Il en eut la larme à l'œil. « Végétarien ? Mais quelle drôle d'idée, balbutia-t-il. Est-ce qu'au moins il mangeait des œufs ? »

Elle n'en savait rien, elle s'en fichait. Lui, il était aux anges. Gloria venait de lui donner une image d'Alex qu'il ne connaissait pas et il ne se lassait pas de la manipuler dans l'obscurité de son crâne, de l'examiner sous tous les angles possibles.

« Je vais aux toilettes », fit-elle en se levant.

Il la suivit des yeux avec un vague sourire aux lèvres tandis qu'elle s'éloignait — une femme qui passait, qu'il ne reconnut pas tout de suite, lui caressa la joue et lui envoya un baiser imaginaire. Il ne savait plus qui lui avait dit qu'Alex avait le teint pâle, peu de temps avant sa mort, et voilà que peut-être une chose enfin s'éclairait. Son fils ne mangeait plus de viande. Et il ne s'était aperçu de rien. *Nada.* Il en restait coi.

☛ Nous marchions d'un pas vif vers le centre. En route vers le cabinet du docteur Golberg, spécialiste des déficiences masculines.

« Le petit ne mangeait plus de viande, Michel ! Tu m'entends ? Sous mes yeux. Il ne mangeait plus de viande et je n'ai rien vu. Mais Seigneur, mais comment est-ce possible ? Comment en arrive-t-on là ?

— Mais aussi, qui peut s'imposer un tel fardeau ? Qui peut passer son temps à les surveiller ? Tu comprends pourquoi je n'en veux pas ?

— Oh, ne cherche pas à me réconforter, ne perds pas ton temps. En tout cas, j'ai attendu et, ne la voyant pas revenir, je suis allé voir ce qui se passait. Résultat : elle avait disparu. Envolée. Plus de Gloria.

— C'est compréhensible, tu sais, tu peux être super ennuyeux quand tu t'y mets, tu peux devenir vraiment rasoir. » Il hocha longuement la tête. « Au fond, cette fille n'est pas si bête, ricana-t-il. Alors vraiment, elle t'a faussé compagnie ? Ha ha. Pauvre Marc. Ça commence bien.

— Bon, mais laisse-moi finir. Laisse-moi t'expliquer

une chose. Il n'y avait que deux possibilités. Soit elle avait grimpé sur les lavabos et enjambé le vasistas et sauté dans la cour, d'accord ? Soit elle s'était volatilisée.

— Ou bien elle est ressortie et tu ne l'as pas vue passer. Tu n'as jamais été très fort dans…

— Non, je suis resté à ma table. Je l'attendais.

— Et elle ? Que dit-elle ?

— Ça la fait rire. »

Le docteur Golberg, un Juif aux yeux bleus, à la chevelure châtain clair, avait examiné Michel, tripoté son pénis et ses testicules en inclinant légèrement la tête, comme s'il cherchait à entendre une voix, puis il avait invité mon ami à remonter son pantalon.

Ses conclusions n'étaient pas très réjouissantes. Sans doute Michel n'était-il plus très sensible aux charmes de celle qui partageait son lit depuis des années, soit !, c'était une chose assez courante et dont il fallait tenir compte évidemment, mais il n'en demeurait pas moins qu'un réel souci d'érection se posait et inquiétait davantage le docteur Golberg qu'une de ces habituelles histoires de libido lessivée.

De nouveau, l'animation des rues, les odeurs de nourriture, les ronflements du trafic, les klaxons lointains, les sirènes. Michel releva son col et voulut s'asseoir un instant.

« C'est jeune pour devenir impuissant, déclara-t-il. Enfin, je trouve. »

Quelques pigeons se dandinaient à nos pieds comme

de risibles et stupides mécaniques. Il les observait avec un triste sourire, se chamaillant plus loin pour un pâle croûton humide dont ils faisaient voler les miettes. C'était une belle journée, bleue et froide. Je l'avais accompagné pour l'aider à surmonter sa sainte horreur des médecins — qui trouvait à présent sa sombre justification — et me sentais effroyablement inutile. Je lui pressai l'épaule sans dire un mot.

Au retour, comme nous nous étions arrêtés chez moi pour prendre un verre et que nous apercevions Gloria derrière la baie de sa chambre, vaquant dans une espèce de pyjama trop court, il attrapa ma main et la colla contre sa queue raide sans cesser de la regarder. « Qu'en dis-tu ? C'est le roi des cons, ce Golberg. »

Je retirai vivement ma main. « Évidemment, fis-je avec un demi-sourire. Ils n'en savent pas le dixième de ce qu'ils prétendent. Je ne me fais pas de souci pour toi, à condition que tu arrêtes les trucs. Lève le pied. Ne prends plus rien. Ne va pas jouer avec le feu, et tout ira bien. »

Nous remplîmes nos verres de nouveau. « Ça ne sera pas difficile, déclara-t-il. En dehors d'Anne, je n'en ai pas besoin. Comme tu as pu le voir.

— J'ai vu ça. Bravo. Fais attention à toi. Ne prends pas tout à la plaisanterie. »

Nous trinquâmes. Quand Gloria fit son apparition, j'en profitai pour les présenter.

« Mais nous nous connaissons déjà, fit Michel en s'avançant la main tendue.

— Oui, si l'on peut dire », fit-elle.

Ils ne semblèrent pas apprécier la rencontre outre mesure, s'étudièrent intensément sans ajouter un mot. Après quoi, à croire que quelque chose la pressait, elle fila dans la cuisine.

« Je lui ai fait peur ? » demanda-t-il.

Je haussai les épaules. « Non. Pas que je sache. Elle est encore un peu farouche. L'autre soir, un livreur de pizzas a eu la même réflexion. »

Il me fixa un moment sans ciller puis esquissa une grimace : « Vas-tu enfin m'expliquer ce que cette fille fait là, dans cette maison ? »

Je soupirai. « Quelque chose m'a poussé à lui offrir un toit. Je ne sais pas. Si tu étais père, sans doute comprendrais-tu ça... Gloria est ma belle-fille, d'une manière ou d'une autre. Par quelque bout qu'on le prenne.

— Oh, ne tombe pas là-dedans, grimaça-t-il. Ne complique pas les choses. Écarte-toi du bord, okay ? »

De quel *bord* s'agissait-il ? Feignait-il de croire que je n'avais pas encore basculé ? Que je pouvais encore choisir ? Ou bien était-il chargé de m'adresser une sourde menace ?

Plus rien au monde ne pouvait me ramener à l'avant-Gloria. Quant aux ennuis que je pouvais m'attirer, qui donc se souciait encore de mes faits et gestes ?

« Ne crois pas ça. Détrompe-toi. C'est un peu moins simple que de résilier un abonnement téléphonique. »

Je me penchai vers lui et lui soufflai : « Michel, nous n'avons pas trente-six manières d'envisager l'avenir. Trente-six portes ne nous sont pas ouvertes. »

Il n'avait jamais fallu longtemps à Michel pour analyser une situation et agir en conséquence. J'avais eu diverses occasions de m'en étonner et d'admirer son talent, d'en faire l'éloge autour de moi, si bien que je ne fus pas surpris. Je savais qu'il regrettait cette époque où nous avions un but, où nous observions une stricte discipline, où nous recevions des ordres, où nous obéissions, où nous étions déterminés, où la fin justifiait les moyens et combien il souffrait d'être devenu ce contre quoi il s'était battu, combien ça le torturait à certaines heures de la journée, entre chien et loup, quand une brume un peu maussade se dispersait dans l'air et qu'il s'empressait de marcher le dos rond vers son double martini-gin. « Très bien, décida-t-il. Faisons ça. Dînons ensemble tous les quatre. C'est d'accord. Anne sera d'accord. Marchons comme ça. C'est bien ce que tu veux ? »

Il n'y avait pas d'autre voie. J'acquiesçai. Il hocha la tête en promenant une moue silencieuse autour de lui — Gloria passa devant nous avec une théière fumante et disparut dans le couloir.

« Bon, elle ne me fait pas meilleure impression aujourd'hui qu'hier, je suis désolé. Mais je vais faire mon possible. Je vais prendre sur moi. Je finirai peut-être par changer d'avis. »

Ni lui ni moi ne tentions plus d'établir le compte des

années qui nous séparaient de notre première rencontre, en 81, quand le pays avait basculé à gauche et qu'il fallait des hommes et des femmes sur le terrain pour étendre la victoire en récoltant les informations, en allant chercher les renseignements là où ils se trouvaient, en exécutant toute une série de petites missions, etc., mais bref, quoi qu'il en soit, il s'agissait d'un temps suffisamment long, conséquent, édifiant, admirable, pour que l'on puisse aborder sans crainte ce niveau de divergence avec de grands espoirs de gagner une issue.

Durant un moment, après son départ, je dus résister à l'envie de frapper à la porte de Gloria pour l'avertir que leurs défenses étaient enfoncées. J'eus honte de moi. J'allai me resservir à boire et me mis un casque sur la tête pour écouter de la musique.

Lorsqu'elle réapparut, la nuit était tombée et les lumières de la ville brillaient de l'autre côté du fleuve. Elle sortait de son bain, visiblement. Ses cheveux étaient encore humides, brillants, parfaitement démêlés et elle était pieds nus — ma foi d'assez jolis pieds, bien cambrés.

Elle fit claquer sa langue : « Il n'avait pas l'air jouasse, votre ami.

— Ça va s'arranger. C'est un type méfiant. Par nature.

— Alex ne l'aimait pas beaucoup.

— Alex ne l'aimait pas beaucoup parce qu'il pensait qu'il m'influençait et que je rentrais ivre ou défoncé *par sa faute*. Ou que je ne rentrais pas du tout, encore bien plus souvent. Mais je n'avais besoin de personne pour sortir et me détraquer, je m'en tirais très bien tout seul. »

☛ Il ne savait pas comment expliquer l'absence d'Élisabeth, comment expliquer à Gloria ce qu'il était advenu de leur couple puisque aucune décision n'avait été prise, puisque rien n'avait été dit. Ni à propos de séparation ni à propos de retour. Elle n'était simplement pas revenue d'un séjour à l'étranger qu'elle effectuait pour son travail et elle avait déclaré qu'elle voulait se donner le temps de réfléchir. Voilà où ils en étaient.

« Elle m'a appelé un matin pour me dire qu'elle ne rentrait pas tout de suite, qu'elle avait besoin d'y voir plus clair, et je n'ai plus vraiment de nouvelles depuis, rien de direct en tout cas, nous sommes dans le flou le plus complet. »

Perplexe, il haussa les épaules. « Elle a tenu bon durant les six mois qui ont suivi la mort d'Alex, elle m'a supporté comme aucune mère n'aurait supporté son enfant. » Il resta songeur un instant à l'évocation de cet épisode, puis il soupira : « Je lui ai fait vivre un enfer. » Il avait encore en mémoire la voix d'Élisabeth qui lui parvenait d'un univers lointain, sa tête que l'on secouait, les gifles dont il ne sentait rien, son incapacité à ouvrir la bouche ou à remuer un petit doigt par lui-même ou encore les séances de larmes dont il l'inondait, les nuits où il se réveillait en beuglant contre son sein car l'image de son fils pointant l'arme sur sa tempe le hantait. « Et lorsqu'elle a estimé que j'avais accompli le plus difficile et que j'étais sur le point de la rendre folle, elle a levé le camp. Elle a déserté, c'est exactement ça. J'ai cette vision de moi sortant de sous une tente et inspectant l'horizon désert après avoir saisi, près des restes d'un feu, une tasse encore brûlante — vidée à la hâte. »

Il la vit sourire pour la première fois. Il avait de bons yeux car ils se tenaient sur la terrasse, plongés dans l'ombre du soir, et la chose n'avait duré qu'un pâle éclair. Mais il s'était entraîné à lire sur les visages depuis qu'il avait vu Tim Roth dans *Lie to Me* — il avait lu tout ce qu'il avait pu trouver sur ce thème, était resté plié devant son écran pendant des jours — et il parvenait ainsi à capter de toutes petites choses, une expression presque invisible, évanescente, furtive, tel ce sourire microscopique qui avait flotté sur les lèvres de Gloria au huitième soir de son installation dans la chambre d'amis de la maison de son beau-père — c'est à dire lui, Marc, le beau-père en question, celui-là même qui poussa in petto un cri bref, victorieux, serrant les poings et bandant tous les muscles de son corps.

Arracher le moindre sourire à Gloria était comme d'aller chercher un filon à mains nues. Il pouvait s'en féliciter. Les quelques jours qu'ils avaient passés sous le même toit, sous un ciel presque toujours blanc, maussade, n'avaient pas toujours été d'une folle gaieté.

Elle l'avait observé, sans relâche. Il avait eu l'impression qu'elle avait employé tout son temps à l'observer, qu'elle avait décortiqué ses moindres gestes. Leurs regards s'évitaient, se croisaient une demi-seconde. Elle demeurait constamment en alerte, elle plombait l'ambiance, mettait de l'électricité dans l'air en gardant simplement le silence, mais il savait qu'elle ne baisserait un peu les armes qu'à ce prix, qu'il fallait en passer par là. Parvenir à cet embryon de sourire constituait une avancée énorme, par conséquent.

« Non, Marc, tu ne me déranges pas, fit Michel au bout du fil. Je suis littéralement enchanté d'apprendre que Gloria t'a souri pour la première fois. Pour une bonne nouvelle, c'est une bonne nouvelle.

— Ne me fais pas dire ce que je n'ai pas dit. Je n'ai pas dit qu'elle m'avait souri. Nous ne sommes pas engagés dans une course de vitesse.

— Tu as de la chance de me trouver éveillé à trois heures du matin, disposé à écouter ce genre de choses. Tu le sais ? »

☛ Il n'y avait pas d'endroit plus parfait pour se montrer, pour croiser les plus parfaites commères de la ville, que le Brunswig — qui constituait notre quartier général depuis des années. Gloria et moi arrivâmes les premiers. Je serrai des mains, saluai, embrassai, présentai Gloria plusieurs fois avant d'avoir pu ôter mon manteau. « Gloria, ma belle-fille. » Je patientais un instant puis je voyais les engrenages se mettre peu à peu en route sous les crânes, les connexions s'établir. « L'amie d'Alex », ajoutais-je pour les plus lents. « Alex, mon fils », ajoutais-je pour les plus attardés.

Il n'était pas très difficile de deviner ce que les gens pensaient. De la différence d'âge. Du rapport trouble, presque consanguin, que j'entretenais avec la petite amie de mon fils, que d'autre part j'hébergeais.

Ça ne me touchait pas, personnellement. J'étais imperméable à leur jugement, ne les connaissant que trop bien pour avoir fait tout ce long chemin en leur compagnie, les avoir fréquentés de si près que j'étais devenu l'un d'eux, mais Gloria? La pensée me vint tout à coup — comme je l'observais en train de promener une moue vaguement désabusée sur l'assistance, dans ce décor d'un splendide mauvais goût — que, contrairement à moi, elle ne se sentait pas très à l'aise dans le rôle de petite garce qu'on lui réservait à coup sûr.

« Ne t'occupe pas des gens, fis-je avec un léger haussement d'épaules.

— D'accord. Merci pour le conseil. »

Je fis un geste en direction de la doublure de Dakota Fanning et commandai deux Asahi. Je commençais à m'habituer à cette sorte de mauvaise humeur permanente chez Gloria. J'imaginais que ce n'était pas facile de conserver un air sombre du matin jusqu'au soir —

en dehors des quelques heures qu'elle avait passées dehors à ramasser les feuilles autour de la maison, à les rassembler, à les brûler, où elle s'était contentée de cligner les yeux.

Elle regarda l'heure à ma montre. « Ils vont nous planter comme l'autre fois ?

— Non, ils vont venir. »

Le lendemain matin, elle me retrouva sur la terrasse. L'air était un peu frais mais elle avait eu le réflexe de se couvrir les épaules avec une couverture. Sans un mot, elle se laissa glisser jusqu'au sol et fixa l'horizon.

Je la considérai un instant puis me remis au travail. J'avais installé une table dehors pour ne pas respirer les essences et les colles que je m'apprêtais à mélanger, cuire, couler, brûler, poncer, à malaxer sans cesser de prendre des notes. Je rencontrais quelque problème avec un bleu de cobalt qui virait au vert au contact du plomb que j'utilisais dans certains cas. J'étais en train de faire un procès à la boîte — qui cherchait à me coincer pour utilisation non conforme de ses produits — mais d'ici là, je devais trouver des solutions et pratiquer différents essais avant la tombée de la nuit.

« J'ai cherché de l'aspirine, fit-elle, y en a pas ?

— Il y a toujours de l'aspirine dans cette maison, répondis-je après avoir aspergé un bidon de lessive d'un jet bleu de ma composition. J'y veille. De l'Alka-Seltzer, aussi.

— Je crois que ma tête va exploser.

— Tu as une bosse derrière la tête. Tu es tombée en arrière, tu te rappelles ? »

Il faisait un soleil timide, des moineaux étaient posés sur les fils et les antennes de télévision.

« Est-ce que j'ai... perdu connaissance ?

— Tu avais les yeux fermés et tu râlais. On ne pouvait pas communiquer avec toi. Ce n'est pas vraiment ça, perdre connaissance, mais on peut considérer que ça y ressemble.

— Je ne me souviens de rien. »

Je mélangeai du Rubson avec du ciment blanc et l'appliquai au couteau sur de la toile. De temps en temps, quelques moineaux s'envolaient des câbles du téléphone et retournaient se poser dans les branches. Je bombai quelques cartons, enfilai des gants de latex et recueillis un échantillon de peinture entre deux doigts. J'en étudiai l'odeur, la texture, l'examinai dans un rayon de soleil.

« Je ne me souviens de rien, répéta-t-elle.

— Est-ce qu'Alex tolérait ce genre de comportement ?

— Ohh... Est-ce que j'ai merdé à ce point-là ?

— Eh bien, nous avons eu du mal à te ramener. Et je ne crois pas qu'Anne soit devenue ta copine. Vous en êtes même venues aux mains, ça ne te dit rien ? Ensuite tu es tombée. Mais pas à cause d'elle, à cause de moi. Tu avais tellement bu que tu ne tenais plus sur tes jambes. »

Elle se leva et disparut à l'intérieur. J'ôtai mes gants et les jetai à la poubelle en pensant à l'automne qui déclinait, à l'hiver qui allait s'installer et me compliquer la tâche quand la température descendrait au-dessous de zéro. J'avais un rose qui, l'an passé, avait très nettement coagulé et produit des bulles après une exposition en plein air sur la terrasse d'un jeune collectionneur norvégien — j'avais fait le voyage et pratiqué des injections de cyanoacrylate, ce qui m'avait amené, entre autres, à refuser, ces derniers temps, une quelconque garantie de quoi que ce soit concernant mes œuvres, et bien m'en prenait si j'en jugeais la recrudescence des incidents qui se produisaient ici et là et donnaient le sentiment que mon travail s'autodétruisait, tombait tragiquement en poussière, de plus en plus vite, et que bientôt il n'en resterait rien ainsi que m'en avait averti cette cliente que j'avais envoyée promener une semaine plus tôt. Le monde se transformait vite. Nous n'avions guère de visibilité.

Elle réapparut avec une tasse de café fumant et reprit la place qu'elle occupait, sans un seul regard dans ma direction. « Qu'est-ce que je faisais donc de si terrible ? fit-elle en regardant ailleurs. Qu'est-ce que j'ai bien pu faire pour vous ficher en rogne ? »

Après réflexion, je lui expliquai patiemment qu'Anne était allée au bout de ce qui était supportable — du moins en public, du moins devant toutes ces autres femmes qu'elle connaissait et qui regardaient cette fille de vingt ans mettre la main sur le mari de l'une d'elles sans se gêner le moins du monde, se collant à lui dans la demi-pénombre, se frottant à lui.

« Oh merde, soupira-t-elle. C'est bon. N'en dites pas davantage. C'est bon. Je ne sais pas ce qui m'a pris. Je ne me rappelle rien.

— Eh bien, au bout d'un moment, elle s'est levée et elle t'a giflée et tu t'es jetée sur elle. Je vous ai séparées. Je t'ai repoussée et tu es tombée raide en arrière. Mais ce n'est pas réellement cette chute qui t'a assommée. Tu l'étais déjà avant qu'ils n'arrivent. C'est ma faute. J'aurais dû te freiner.

— Ils sont arrivés avec une demi-heure de retard et c'est lui qui m'a dévorée des yeux pour commencer.

— Je le connais. Je ne dirais pas qu'il t'a dévorée des yeux. Il t'a scrutée, ce qui est différent. Il t'a photographiée. Je l'ai vu faire ça des milliers de fois.

— Et alors ? Vous me prenez pour une demeurée ? Je ne vais pas devenir leur nouveau jouet. Aucune chance. »

Elle avait les traits tirés, elle était un peu blême et grimaçait dans la lumière du soleil, les yeux rougis, injectés. Elle alluma une cigarette. Avec des gestes impatients, presque tremblants. Je n'en perdais pas une miette. Elle semblait apprécier le choc de la nicotine à jeun. Elle ferma les yeux.

« Ce sont de vieux amis, lui dis-je. Ne me mets pas dans une position intenable, ne t'en prends pas à eux. C'est moi le responsable. Si quelque chose ne va pas, tu dois t'en prendre à moi, pas à eux.

— J'ai pas besoin que vous me donniez de marche à suivre. Perdez pas votre temps. Je n'attends rien de vous.

— Ils m'ont aidé à te transporter, à t'installer dans la voiture, ils sont venus jusqu'ici et m'ont aidé à te coucher. Rien ne les y obligeait. Sois un peu bienveillante, reconnais qu'ils ne sont pas rancuniers. Ils sont très au fait des difficultés de la vie et les connaissant, je sais qu'ils auront à cœur d'oublier l'incident. Tout le monde peut faire erreur, Gloria, et ils le savent pertinemment.

— Vous devriez écrire des contes de fées pour les enfants. Vous êtes super doué. »

Je hochai la tête et sortis mes lunettes pour examiner la notice d'un aérosol à peinture pneumatique dont on m'avait dit grand bien. « Alex acceptait ça, ce genre de comportement ? demandai-je. Était-il jaloux ? »

Elle tira encore quelques bouffées, les genoux relevés sous le menton, regardant à droite, puis à gauche, comme sur un passage piéton. « Alex acceptait beaucoup de choses », finit-elle par déclarer.

À ces mots, elle se releva d'un bond et rentra. Je travaillai encore quelques heures, jusqu'à la tombée de la nuit, à polir différentes résines, à scier des échantillons de plexi, à réduire du verre en poudre en écoutant Tuxedomoon, le souffle court. Je ne comprenais pas bien ce qu'elle avait voulu dire. Je rangeai tout le matériel dans le coffre de la voiture avant que le soir ne tombe. Il faisait vite froid. Puis je transportai le tout à l'atelier en évitant le périphérique archibondé, thrombosé par les forcenés du week-end, et à mon retour, je trouvai la maison plongée dans le noir complet. Je me garai et coupai le contact.

☛ « Je crois que j'ai fait sauter les plombs ! » lança-t-elle à Marc dès qu'il pénétra dans la maison. Je suis dans la cuisine, putain. Où sont les bougies ?

— Quelles bougies ? répondit-il sur un ton agacé. J'arrive. »

Il alluma son briquet. Personne n'avait encore réussi à faire sauter les plombs dans cette maison.

« Le séchoir est tombé dans la baignoire.

— Ah bon ? »

Il se rendit à l'entresol tandis qu'elle lui expliquait que son pied avait glissé.

« Quoi ? fit-il en s'arrêtant net dans l'obscurité. Qu'est-ce que tu dis ? Pieds nus, sur le carrelage mouillé ? Tu veux dire que pieds nus, sur le carrelage mouillé, tu te sèches les cheveux avec le séchoir électrique ?! » Durant un instant, il pensa qu'il était en train de s'étrangler.

« Heureusement qu'on est reliés à la terre », déclara-t-elle sur un ton ingénu. À ces mots, il rétablit le courant et la considéra d'un air soupçonneux tandis qu'elle clignait des yeux. Elle aurait accompli n'importe quel acte bizarre, à cet instant, comme voler ou passer au travers des murs, il l'aurait accepté. « C'est bien le vert et le jaune ? » fit-elle en désignant le compteur du menton.

Ils remontèrent.

La télé s'était remise en marche dans le salon. Il fallait de la chance, en ce début de siècle malmené, pour tomber sur des images attendrissantes, et l'on entendait un échange de coups de feu sur un fond de désert rocailleux, blanchi par la pleine lune.

« Pourquoi n'éteins-tu pas la télé quand tu prends ton bain ? » demanda-t-il.

À présent des cris, des pas de course, des détonations, des gémissements, des respirations étouffées, des images chaotiques.

Il leva les yeux au ciel et lui fit signe qu'elle pouvait se dispenser de répondre. Il éteignit la télé. « Dis-moi plutôt si tu imagines possible de faire la paix avec les deux autres, fit-il. J'aimerais autant, ce serait bien. Ils sont ma seule famille, mes seuls amis, nous avons partagé beaucoup trop de choses. Écoute-moi bien : ils m'ont sauvé la vie. Tu m'as bien entendu. Je n'ai pas besoin de t'en dire plus, Gloria. Cette époque-là est terminée. Mais nous étions dans ce bar d'Athènes lorsque les vitrines ont volé en éclats et ils m'ont traîné dehors pendant qu'il en était encore temps. Trente secondes plus tard, le toit du bâtiment s'effondrait. Incroyable, quand j'y pense. Franchement, nous étions complètement dingues. Nous voulions tout flanquer par terre… Tout ça me semble si loin, aujourd'hui. Figure-toi que j'habitais alors dans une pièce de douze mètres carrés. Je devais relever mon lit contre le mur pour trouver la place de noircir quelques dessins. D'où mon intérêt pour les empilements, la vérité cachée, les couches successives, blablabla... Bien entendu. Gérard Gasiorowski reste l'une de mes idoles. Bien entendu. Mais tout ça ne me dit pas si tu te sens prête à te réconcilier avec Anne. Je crois que ce serait au bénéfice de tout le monde, ici. Qu'en dis-tu?... »

Elle se mit les mains sur les hanches et sembla chercher la lumière au fond d'elle-même. Elle portait pour l'heure un tee-shirt sans manches et un short à trois bandes coupé dans du satin chinois. Puis elle leva de nouveau les yeux sur lui. « Bon, vous faites quoi, là, maintenant ? Vous me donnez cinq minutes ? »

Il était onze heures du soir. Ils s'arrêtèrent à une station-service pour acheter de l'alcool et des cigarettes.

« Je n'avais pas remarqué ça, déclara-t-il en passant au-dessus du périphérique. De l'eczéma ? Derrière les deux oreilles ?

— D'horribles démangeaisons. Tout dépendait de son degré de contrariété.

— Eh bien, t'ayant vue à l'œuvre hier, je...

— Ne dites pas n'importe quoi. Faites-moi grâce de vos remarques. Nous n'étions pas mariés, Alex et moi. Nous ne nous étions rien juré du tout... Que ce soit clair. »

Ils se garèrent au pied de l'immeuble où habitaient

Michel et Anne — un quartier chic, rempli de fontaines et de verdure, avec de larges trottoirs et auvents.

Arrivés au quinzième étage, ils trouvèrent Michel dans le couloir, devant la porte de son appartement. « Essayez de lui faire entendre raison, soupira-t-il. Expliquez donc à cette folle que je vais faire enfoncer cette porte. Le serrurier est en route. Après ça, nous serons bien avancés. Tu m'entends ? Je n'ai jamais dit que tu étais vieille et moche. Je ne parlais pas de toi. Anne, bon Dieu, ouvre-moi cette porte ! »

Ils attendirent un instant, mais comme rien ne se passait, il poussa un gémissement puis attrapa la bouteille de cognac des mains de Marc et en téta quelques gorgées.

Marc en profita pour s'avancer et se pencha sur la porte. « Salut, fit-il. Gloria est avec moi. Tu pourrais nous ouvrir la porte, s'il te plaît ? Je crois qu'elle aimerait te parler. Je dois te prévenir aussi que tes voisins commencent à entrebâiller leur porte, ce qui devient très gênant. Le syndic ne va pas aimer. Ouvre. Nous venons boire le verre de l'amitié. »

Le silence retomba. Un instant plus tard, cinq ou six verrous furent actionnés les uns après les autres. Marc se tourna vers Michel et Gloria qui s'observaient en chiens de faïence, à quelques mètres de distance. Il oublia ce qu'il allait dire. La porte s'ouvrit et Anne fit demi-tour pour les laisser entrer.

Il pensa que si Michel avait tenu les propos qu'elle lui reprochait, il exagérait beaucoup, car cependant qu'il marchait derrière elle en direction du salon, il voyait se découper ses formes et pouvait admirer les mouvements de sa démarche.

Michel claqua la porte dans son dos. « Tu n'as donc pas compris que l'on cherche à me nuire ? Tu crois que si je le pensais, je m'en serais vanté autour de moi ? »

L'ignorant, Anne se dirigea vers un canapé et replia ses jambes sous elle tandis que Gloria et Marc s'installaient en face, déposaient leurs emplettes sur la table basse, et que dans leur dos, à peine remis de son épreuve, Michel sortait avec humeur quatre verres Leonardo longdrink du bar, des sodas, des pailles et de la glace.

« Peut-être aurais-je mieux fait de te le laisser, fit Anne en indiquant Michel d'un morne mouvement de tête. Ce type ne vaut pas grand-chose.

— Eh bien, pour un compliment, c'est un compliment, rétorqua celui-ci. Ne prends surtout pas de gants, chérie. »

Anne s'adressa à Gloria : « Franchement, j'aimerais savoir ce que tu lui trouves. Est-ce que je deviens aveugle ?

— Ne t'en fais pas pour moi, grinça Michel. Ne te fais pas de souci à mon sujet. »

Gloria croisa les jambes et alluma une cigarette. « Je regrette de m'être fritée avec vous hier soir, déclara-t-elle en regardant Anne droit dans les yeux et tendant le bras en direction de Marc afin qu'il remplisse son verre en priorité. Je suis désolée. Mais pour ma part, c'est sans rancune. Je crois que j'avais un peu trop bu, n'est-ce pas.

— Oui, nous nous en sommes rendu compte, fit Marc en lui concoctant un gin-tonic. Tu dois apprendre à t'arrêter. Tu dois te contrôler. C'est bien que tu en sois consciente.

— Oh, mais de quoi êtes-vous en train de parler tous les deux ? fit Anne en chassant de la main quelque invisible nuée. Pouah ! Oublions ça. Je n'étais pas très claire non plus, de mon côté. On ne sait pas pourquoi parfois les choses semblent aller trop loin. Alors que la veille encore, on en acceptait davantage, sans broncher, sans faire autant d'histoires.

— Tu fais bien de le souligner, intervint Michel. Je suis très heureux de l'entendre. On ne change pas les règles d'un jeu en cours de partie. Tu devrais le savoir.

— Je pensais que tu avais compris que je n'étais plus sous tes ordres, répondit-elle. Réveille-toi. Nous sommes passés dans les années deux mille. »

Michel se laissa choir à l'autre bout du canapé. « Ce Golberg est une ordure, fit-il entre ses dents. Il va entendre parler de moi. Mais je sais tenir ma langue, figure-toi. Fais donc marcher ta cervelle. Ne m'accuse pas de propos que je n'ai pas tenus. C'est ma parole contre la sienne et tu choisis *la sienne* ? Vous entendez ça, les gars ? »

Il secoua la tête et se pencha pour tendre son verre à Marc — lequel proposait également vodka et liqueur de café.

À minuit, les bouteilles étaient vides. Ils étaient sortis sur le balcon pour prendre l'air et fumer des cigarettes en se laissant baigner par les lumières et les odeurs des rues, les rumeurs du trafic quinze étages plus bas.

Les griefs semblaient abandonnés de part et d'autre. À l'âge de Gloria, et recherchant la vie de bohème qui la sortirait des beaux quartiers, Anne avait expérimenté une assez longue période de précarité qui l'avait vue migrer de place en place au gré de lits disponibles et d'un placard pour ranger ses affaires, d'un verre à dents personnel immanquablement et régulièrement utilisé par d'autres — à des fins que l'on ne voulait même pas imaginer —, en sorte que Gloria lui fournissait un aperçu des nouvelles tendances, de l'évolution de la vie dans les squats ou les chambres d'amis ou encore des colocations qui se terminaient en batailles rangées, en effroyables disputes devant un frigo de quarante litres ou un aspirateur sans sac payé en dix fois.

L'air n'était pas trop frais. Accoudés à la rambarde, les deux hommes s'étaient postés un peu plus loin, afin de retrouver un semblant d'intimité masculine. Ils suivirent quelques lumières qui se déplaçaient dans le ciel, après être allés se ravitailler dans les toilettes.

« Je viens de lire une chose, déclara Michel avec une grimace, je viens de lire qu'on a mis au point un système de transplantation fécale. Je ne vais pas te donner les détails. Mais je me demande où ils vont s'arrêter. Jusqu'où vont-ils pousser leurs inventions sinistres ?

— Nous sommes balayés par un raz-de-marée. Je sais. Nous sommes entraînés au loin.

— Tu as vu comment elle m'a traité ? Je crois que cette fois, une étape a été franchie. Il y a un seuil au-dessous duquel je ne peux pas descendre. Il y a des antécédents, tu comprends. Ça devient au-dessus de mes forces. Ça fait partie de ces choses que je ne peux plus supporter, c'est une question de dignité. »

Michel avait cinquante ans et la peinture commençait à s'écailler par endroits.

Vers une heure, ils décidèrent qu'il était temps de sortir.

☛ « Je crois qu'elle nous déteste, déclara Michel après l'avoir observée un moment. Je crois que c'est ça. À un point que nous n'imaginons pas. Elle le cache assez bien, remarque, ça doit lui demander un très gros effort. »

Je hochai vaguement la tête. Je ne tenais pas à avoir une discussion de ce genre avec lui. Je comprenais sa frustration, son dépit, son amertume face à l'indifférence polie que Gloria lui témoignait depuis qu'elle avait soldé son différend avec Anne, mais je n'avais pas l'intention de me laisser entraîner dans son sillage. Non que je fusse persuadé que Gloria s'était soudain sentie prise d'un irrésistible élan d'affection pour nous. Je n'en espérais pas tant. Je pensais que l'on ne pouvait rien conclure sur elle dans l'immédiat. Nous devions lui laisser le temps de s'adapter.

Nous avions sauté sur l'un de ces derniers week-ends encore beaux de fin d'automne — ensuite les ténèbres s'annonceraient et il faudrait serrer les dents. Gloria en avait lancé l'idée, à la sortie du Brunswig. « Allons faire un tour à la campagne. Essayons de faire connaissance. Allons-y. Faisons-le. » Cela nous avait pris au dépourvu, sur le coup. Néanmoins, l'idée avait fait son chemin et nous avions loué un chalet dans l'un des endroits les plus snobs de la terre, mais la saison n'était pas encore commencée, il n'y avait pas de neige, il n'y avait personne. Il n'y avait qu'une crêperie et une petite épicerie ouvertes. Les boîtes de nuit étaient fermées. Les banques n'étaient même pas sur le qui-vive. Les remontées ne fonctionnaient pas.

Mais le chalet était bien. Il était situé en bordure d'un vaste plan d'eau, vert sombre, aux rives escarpées. Il y avait un petit embarcadère et une barque était à disposition avec une paire de rames. Le chalet était grand, bien équipé. Le jacuzzi qui bouillonnait à l'arrière pouvait contenir une douzaine de personnes et tout l'entresol était réservé au fitness. Pour manger ou pour boire, il suffisait d'appuyer sur un bouton et quelqu'un de la réception, à l'entrée du parc, prenait la commande et vous livrait en quatrième vitesse. La télé proposait environ cinq cents chaînes. Une boîte noire, sur la table de nuit, émettait en boucle le chant des baleines ou le ruissellement de la pluie dans les bambous ou le frémissement d'une brise au milieu des feuilles ou le glouglou joyeux d'un ruisseau — très vite insupportable. Les cabines de douche étaient multi-jets.

« C'est curieux que tu ne sentes pas ça, insista Michel tandis que Gloria sortait du jacuzzi et s'enveloppait dans une serviette. Ça me surprend, venant de toi. Ce manque d'affûtage. Tu ne m'avais pas habitué à ça. Regarde-la, je le sens d'ici. Elle en irradie. Ne me dis pas que tu ne sens rien, je ne te crois pas. Tu te moques de moi. »

On nous apporta des verres. Je signai la note.

« Essaye de te montrer un peu plus fair-play », fis-je en le servant.

Il ricana méchamment. « J'aimerais t'y voir si une fille t'allumait comme elle m'a allumé. J'aimerais voir quel genre de beau joueur tu ferais, je donnerais cher pour voir ta tête.

— Très bien. Mais tu ne vas pas ruminer ça durant cent sept ans, j'espère… Essayons plutôt de nous reposer. Profitons de la nature. »

Il soupira puis s'éloigna pour passer quelques coups de téléphone tandis que le ciel s'empourprait au-dessus des bois — qu'une truite sautait dans l'air du soir, qu'un canard atterrissait sur l'eau sombre en battant des ailes, qu'un écureuil traversait le toit en diagonale puis descendait le long de la gouttière de cuivre.

De la terrasse, où l'on nous avait installé les chaises longues et les fauteuils, j'apercevais Anne derrière les larges fenêtres de l'entresol, une serviette autour du cou et pédalant sur un engin sans roues avec un magazine féminin sous les yeux, le souffle court et totalement absorbée par sa lecture.

« C'est quand même dingue de s'enfermer pour faire sa gym, non, quand on est à la campagne… » fit Gloria.

Je ne l'avais pas entendue arriver. Elle avait enfilé un peignoir de bain bleu ciel, trop grand pour elle.

« Anne est essentiellement urbaine, fis-je. Trop de chlorophylle d'un coup pourrait la tuer. » Ce n'était pas d'une drôlerie excessive, assurément, mais devant son manque total de réaction, je me demandais si elle m'avait entendu.

« Écoutez, finit-elle par m'annoncer, je suis désolée, je suis navrée… mais je suis complètement imperméable à votre humour, il faut que je vous le dise, vous tombez complètement à plat. C'est terrible. C'est comme une succession de pétards mouillés. »

Je levai les yeux au ciel : « Ça ne m'étonne pas. Je suis incapable de raconter une histoire drôle, en règle générale. Depuis que je suis tout petit. C'est presque une maladie, chez moi... »

Michel était arrivé au bout du jardin, et se retournant, le téléphone toujours collé à l'oreille, il agita son bras libre pour nous faire signe.

« J'y suis allée trop fort avec lui, déclara-t-elle. Il a du mal à tourner la page, visiblement… Mince, parfois je ne sais même plus ce que je fais. »

Elle ne pouvait pas mieux dire. La manière dont elle s'était jetée au cou de Michel, une semaine plus tôt, dont elle s'était proprement frottée à lui sur la banquette du Brunswig, ignorant toute retenue, toute pudeur, tout souci de rester dans les rails, augurait une nature lunatique, insaisissable, difficilement contrôlable. J'en étais conscient. Je ne l'avais pas choisie. Contrairement à mon fils défunt. À cet égard, je tournais toujours en rond. Michel avait raison, je n'avais rien produit de bon depuis, plus rien d'intéressant n'était sorti de mes mains ni de mon cerveau depuis un an déjà — depuis bien plus longtemps encore, pour être exact, mais nous étions très peu à le savoir et heureusement très peu écoutés, si bien que ma valeur marchande était encore à peu près stable et me permettait d'assurer à mon dealer, ainsi qu'à mon marchand d'alcool, une sorte de revenu minimum.

« Commande-toi quelque chose », lui dis-je.

☛ Marc se réveilla au milieu de la nuit à cause de la fumée. D'abord, sa tête retomba car ils avaient bu du blanc, puis du rouge, puis quelques verres de gin bien tassés, mais il retrouva ses esprits quelques secondes plus tard et il sauta sur ses pieds.

Par chance, il était encore habillé. Il remarqua les lueurs dans le jardin et perçut le bruit d'un ronflement derrière sa porte.

Il se précipita sur le palier. Au ronflement qui s'intensifia s'ajoutèrent des craquements, des sifflements, puis la fumée s'en mêla. « Au feu ! Au feu ! » cria-t-il en empoignant son sac et en bondissant vers la chambre de Gloria qui gisait sur son lit, les bras en croix, habillée elle aussi. Ils avaient abusé. Il la secoua. « Réveille-toi ! Fichons le camp en vitesse ! Remue-toi ! »

Il découvrit avec horreur qu'elle avait perdu connaissance ou peu s'en fallait. S'il devait la porter, et tout semblait indiquer qu'il allait devoir le faire, sans parler de leurs sacs, il ne donnait pas cher de son dos car depuis quelques jours, la douleur tournait autour de lui avec l'entêtement et la conviction d'une louve affamée, elle l'effleurait lorsqu'il se tournait dans son lit ou lorsqu'il se penchait au-dessus du lavabo pour s'asperger la figure. Il la hissa sur son dos. Il poussa un couinement. Sortit en claudiquant.

Il aperçut les deux autres dans le hall, effarés, serrant contre eux leurs maigres effets.

« Mais cette putain de baraque est en flammes !! » vociféra Michel tandis que Marc dévalait tant bien que mal les dernières marches, lesté de son fardeau vivant et de leurs bagages. Le feu vrombissait dans le salon, à l'autre bout du couloir d'où s'échappait un tourbillon de fumée jaune, épaisse comme de la crème fouettée.

Il se reposa une seconde contre le mur pendant que Michel s'activait à déverrouiller la porte. Ils commençaient à tousser. Michel poussa quelques jurons, Anne s'impatientait. Puis la porte s'ouvrit et ils se précipitèrent dehors.

Le chalet s'embrasait à présent.

« Marc, il faut appeler les pompiers, déclara Michel. Tu as leur numéro ?

— *Tu me demandes si j'ai le numéro des pompiers?* »

Il changea Gloria d'épaule.

« Qu'est-ce qu'elle a ? » demanda Michel dont le visage, sourcils froncés, luisait des vives lueurs de l'incendie.

À l'instant où il ouvrait la bouche pour répondre qu'il ne savait pas trop, Gloria redonna signe de vie en poussant un long râle. Elle glissa de son épaule et dès que ses pieds touchèrent le sol, elle exécuta trois pas désastreux — une pouliche à peine tombée du ventre de sa mère, s'emmêlant dangereusement les pinceaux — avant de se rattraper fermement à lui et de retrouver son équilibre.

Elle se figea en écarquillant les yeux devant les flammes qui ravageaient leur chalet. Anne de son côté avait composé le numéro des pompiers et donnait leurs coordonnées en précisant qu'il n'y avait pas de blessés mais que deux ou trois sapins étaient déjà en feu.

« Quelqu'un a-t-il une cigarette? » demanda Michel qui était en pyjama et essuyait la buée de ses lunettes sans quitter Gloria des yeux. « Et aussi, ajouta-t-il, quelqu'un peut-il me dire ce qui se passe au juste? Nous avons foutu le feu à ce chalet, c'est bien ça? »

Marc lui tendit une Winston allumée. « Attends avant de dire que nous avons fait quoi que ce soit, répondit Anne. Rien ne prouve que nous soyons responsables. Il peut s'agir d'une défaillance électrique, d'un de ces courts-jus comme ils ont à la campagne, d'un feu de cheminée, de la foudre... Laisse-moi m'occuper de ça. »

Elle donna quelques coups de téléphone. Le chalet brûlait encore lorsqu'elle obtint de l'agence qu'on en mît un second à leur disposition, absolument identique au premier. Lorsqu'ils prirent possession de leurs nouvelles chambres respectives, une centaine de mètres plus loin, le jour se levait à peine.

Marc resta un moment assis sur son lit, les coudes sur les genoux, les mains croisées.

Anne et Michel avaient sauvé l'essentiel de leurs affaires de toilette, mais Gloria et lui redescendirent dans la vallée car ils n'avaient plus rien, ni brosse à dents, ni crème, ni morceau de coton, ni peigne.

Ils refirent provision d'alcool, de cigarettes et de papier à rouler. La journée s'annonçait assez belle. Ils prirent un café à une terrasse où les serveurs s'interrogeaient sur la nature des évènements qui s'étaient déroulés là-haut — « Va savoir ce qui s'est passé. Va savoir ce qu'ils sont allés foutre, dans ce chalet ! »

Dehors, l'air avait encore une odeur de fumée, de feu de bois. Elle s'arrêta devant une boutique de cosmétiques et lui rappela qu'il lui devait cinq heures de repassage et autant à s'occuper du jardin et elle décida de se choisir une crème pendant qu'il examinait les bombes de savon à barbe et les baumes.

Elle expliqua qu'elle s'offrait cette crème environ une fois par an, lorsqu'elle en avait les moyens — et d'ailleurs, n'y tenant plus, elle avait tourné le rétroviseur vers elle et s'étalait ladite crème sur le front, le cou et les joues tandis qu'il déboîtait et se glissait dans la circulation après avoir avalé une gorgée de whisky de sa flasque, tiédie par la chaleur de son corps.

« La dernière fois, c'était Alex, pour mon anniversaire, fit-elle sans cesser de s'inspecter dans le rétroviseur. Il avait pris l'argent dans vos poches. »

Il lui jeta un bref coup d'œil. Puis il attrapa ses lunettes de soleil et accéléra. « Dans ce cas, je tiens à te l'offrir », fit-il.

À leur arrivée, afin que ce soit bien clair, il la paya pour les heures qu'il lui devait — sa crème valait plus du double. Sourd aux molles protestations de Gloria, il lui mit l'argent dans la main et en profita pour l'inviter à ne pas hésiter si elle rencontrait un problème de cette nature, à venir lui en parler sans la moindre gêne car il avait connu cette situation à son âge, sauter un repas, hésiter à acheter un pantalon, avoir un compte négatif chez son fournisseur, ne plus s'entendre avec sa banque, avoir sa ligne suspendue, bref, les motifs d'insatisfaction demeuraient innombrables, et s'il en était débarrassé aujourd'hui, s'il gagnait largement sa vie et n'entendait plus parler de tracas de cet ordre, il n'avait rien oublié de leurs meurtrissures et gardait une empreinte précise de chacun de leurs tourments.

Quant à Michel et Anne, ils semblaient avoir employé leur temps à s'interroger sur l'incendie de la nuit. Mais finalement, à moins de considérer qu'ils avaient trop bu et ne fussent à l'origine d'un sinistre imputable à leur état, ils admettaient qu'aucune piste ne les satisfaisait.

Anne ricana : « Cela signifie-t-il que le moment est venu de passer au régime sec? Est-ce que c'est un signe? »

Ils prirent un bain de soleil sur la terrasse. Ils avaient apporté des tonnes de magazines et durant un moment, on entendit seulement des pages se tourner, des journaux se froisser. On pouvait sentir l'odeur de l'encre dans l'air doux. Puis quelques-uns s'endormirent car la nuit avait été courte. Le soleil brillait sans brûler. Des ouvriers s'activaient au loin, derrière les feuillages, au pied des murs et des poutres calcinés qu'il s'agissait de débarrasser au plus vite.

« Ils m'ont appelée pour me demander si nous nous éclairions avec des bougies, fit Anne. Dans un chalet en bois? leur ai-je dit. Vous nous prenez pour des malades mentaux? Mais ils ont vérifié à l'épicerie. Alors j'ai dit : Les pannes de courant, vous connaissez? Vous avez déjà mis un pied à la campagne? Vous savez pourquoi ils ont toujours des sacs à dos? Moi, que voulez-vous, je suis prévoyante. Est-ce que ça fait de moi une criminelle?

— Ah, mais ces types sont fous, déclara Michel. On croirait le K.G.B. Seulement avec toi, ils sont tombés sur un os. »

Au milieu de l'après midi, Marc déclara qu'il souhaitait revenir sur la décision qu'ils avaient prise d'arrêter de boire durant leur séjour. Anne soupira et haussa les épaules. Ce n'était pas la première fois qu'il faisait capoter leur tentative de se refaire une santé. Il proposa de s'en tenir à une bière ou deux, pas davantage, et les autres acceptèrent — il avait rempli les minibars d'Asahi.

C'était mieux. C'était mieux ainsi. Ils n'auraient pas tenu, sinon. Une bière n'était pas le bout du monde, en fin d'après-midi. Il perfora sa canette sans ressentir trop de culpabilité et lampa le champignon de mousse qui s'en échappait. Oh bien sûr, boire n'était pas bien, boire était une chose abominable, mais comment faire autrement ? Il n'y avait pas tant de moyens pour rendre ce monde supportable.

Anne se servit un doigt de martini dans un grand verre de soda. « Mais nous allons manger, cette fois, nous allons faire un vrai repas, déclara-t-elle afin de ne pas capituler en rase campagne. Pas question de rester le ventre vide. »

Ils examinèrent les ustensiles de cuisine dont ils disposaient.

Ils commandèrent des cocktails de fruits à la réception, qu'ils parfumèrent d'un trait de vodka, et les deux hommes s'en allèrent dévaliser l'épicerie dans le bleuissement du soir tandis que les femmes sortaient les tabliers et le plat à lasagnes et se penchaient au-dessus de l'imposante cuisinière.

« Tu es à très mauvaise école avec Marc, fit Anne. J'ai peur que vous ne vous rendiez pas beaucoup service, de ce point de vue. » Posant les yeux sur Gloria, elle attendit en vain une réaction. « Ce n'est pas désagréable d'être avec toi, reprit-elle. Mais tu n'es pas bavarde. Vous êtes amants, tous les deux? »

Gloria se fendit d'un vague sourire en guise de réponse.

Anne la dévisagea longuement, nouant un tablier à rayures sur ses reins, puis elle s'esclaffa comme si Gloria venait de lui raconter une bonne blague. Mais elle ne prononça pas un mot. Elle ouvrit une bouteille de vin, s'en versa un verre qu'elle vida d'un trait.

Lorsque les deux hommes rentrèrent, les bras chargés de provisions, la bouteille de chardonnay était vide — passée, pour la plus grande part, directement dans le sang d'Anne qui ondulait des épaules et des hanches, comme une anguille en chaleur, sur le dernier album de Panda Bear.

Elle but à nouveau en attendant que les tomates blanchissent. Michel était chargé de s'occuper de la béchamel — sur laquelle il ne fallait pas lésiner, tout en gardant l'œil sur les grumeaux. Marc s'occupait de la viande. Gloria coupait les champignons. La musique s'était arrêtée mais personne ne semblait songer à remettre le lecteur en marche. Anne égoutta les tomates, baissa les yeux, commença lentement à les peler, puis, à la dérobée, elle glissa quelques coups d'œil en direction de Marc et de Gloria qui se tenaient côte à côte, à l'autre bout du plan de travail.

Lorsque Gloria demanda s'il y avait des amateurs, elle tendit aussitôt son verre.

Et quand arriva le moment d'enfourner les lasagnes, elle fondit soudain en larmes.

☛ De retour en ville, nous restâmes exténués durant plusieurs jours, et en tout cas bien moins en forme qu'au moment du départ. Anne faisait une vraie dépression et Michel devait diriger la maison et la galerie et il courait du matin au soir. C'était la seconde fois que je la voyais craquer ainsi — la première, suite à notre séparation vingt-cinq ans plus tôt qui avait failli tourner au drame et mettre notre groupe en péril. Elle allait encore perdre quelques kilos, user Michel et me promettre l'enfer chaque fois qu'elle serait seule avec moi. Je ne savais pas où elle était allée chercher que Gloria et moi étions amants.

« Tu aurais pu te dispenser de me demander ça, lui avais-je répondu. Tu as donc cette image de moi ?

— Bien sûr. Je ne te connais pas d'hier, tu sais. Je sais de quels coups tordus tu es capable.

— Le simple fait d'évoquer ça, que je puisse coucher avec la petite amie de mon fils, m'est odieux, me révulse. Anne, tu es simplement monstrueuse. Tu ne me demandes pas si nous faisons ça sur sa tombe ? Est-ce que c'est un oubli de ta part ? Ou un reste de pudeur ? »

Ses larmes avaient repris. Ce n'était plus les mêmes qu'autrefois, bruyantes et abondantes, mais qui avaient au moins le mérite d'être courtes et s'apparentaient à un orage d'été. À présent, ses larmes étaient longues et régulières, totalement désenchantées. Elle utilisait environ trois boîtes de kleenex dans la journée et se disait incapable de mettre le doigt sur ce qui la rongeait. Elle se sentait un peu mieux, aujourd'hui, se mouchait moins.

« Jalouse ? Tu veux rire. Marc, regarde-moi bien. Va te faire foutre. » Nous parlions à voix basse car la galerie vendait une série de dessins et de lithos que j'avais fait revenir de Bâle, et je devais être là pour serrer quelques mains. « Va te faire foutre, répéta-t-elle entre ses dents. Tu es l'être le plus insensible que j'aie jamais rencontré. »

J'attrapai une coupe de champagne au passage et la vidai. « Tu n'as toujours pensé qu'à toi, reprit-elle. Tu es sans pitié. » Je reposai la coupe.

Et me laissai embarquer avec joie par un de ces collectionneurs ignares qui venait de me prendre par le bras — qui achetait régulièrement mon travail, mais pour de mauvaises raisons —, car aucune compagnie ne me paraissait pire que celle d'Anne ce soir-là, si terriblement ennuyeuse et déprimante, mais je me trompais. Le type m'assomma littéralement au bout de cinq minutes. Et c'était une vraie douleur pour moi qu'il appréciât cette part intime que j'exposais, c'était physiquement désagréable.

Je revins vers elle et lui annonçai que je n'en pouvais plus, que je partais.

« Si c'est une plaisanterie, elle n'est pas bonne », fit-elle en grimaçant.

Dans le taxi, j'appris qu'il y avait une fête à deux pas de chez moi et je décidai aussitôt de m'y rendre car j'avais besoin de me changer les idées.

Des amis d'Élisabeth. Qui avaient un faible pour les artistes et s'arrangeaient toujours pour en avoir quelques-uns lorsqu'ils faisaient quelque chose — et ils faisaient quelque chose tous les mois, pour fêter leurs bonus dans leur loft. Géraldine, l'hôtesse, blonde décolorée, large mâchoire, faux seins. Lui, Roger, connard ultralibéral, si laid qu'il en était presque beau. J'avais rarement vu de la mauvaise poudre circuler chez eux et leur bar était impressionnant.

Je m'y rendis tout droit et me servis un gin-tonic avant de relever la tête et de regarder autour de moi. Il y avait des acteurs, des écrivains, des agents artistiques, des mannequins. L'ambiance était agréable, sans intérêt particulier. Je trouvai un coin où m'asseoir et soupirai d'aise — et croisai dans le même temps le regard d'une femme rousse, en tailleur vert, assise à proximité, avant que Roger ne me tombe dessus et ne se juche sur l'accoudoir de mon fauteuil pour me parler d'Élisabeth.

« Ça va faire plusieurs mois, fit-il en secouant la tête, ça devient inquiétant.

— Tu as trouvé le mot juste. Bravo. Tu as de ses nouvelles ?

— Rien de neuf. Un jour elle parle de rentrer et la fois d'après, elle a changé d'avis.

— Je ne sais plus si ça va servir à grand-chose, qu'elle rentre ou qu'elle ne rentre pas.

— Ne dis pas ça. Laisse-lui le temps de refaire surface. Tu n'as pas été très facile à gérer, tu sais. Elle était sur les genoux.

— C'est déjà pas si mal d'être sur les genoux. Crois-moi. C'est mieux que d'être étendu pour le compte. »

Il me caressa le dos puis se leva sans dire un mot et tourna les talons, la tête rentrée dans les épaules. La musique, assez forte, était un remix de Ryuichi Sakamoto, absolument épatant. Je terminai mon gin.

La femme au tailleur vert se pencha vers moi. « Bonsoir, dit-elle. C'est bien vous ? » Elle désignait une mini-sculpture que j'avais réalisée l'année qui avait suivi le départ de Julia, celle donc où j'avais emménagé avec mon fils, et mon humeur d'alors se reflétait parfaitement bien dans ce bloc de résine calciné qui trônait au centre d'une table basse, hérissé de débris de verre comme on en trouve au sommet des murs. Comme j'acquiesçais, elle se pencha davantage et me confia qu'elle était très impressionnée d'échanger quelques mots avec moi. « J'étais tout à l'heure à votre exposition. Je vous ai vu. C'était tellement fort.

— Je suis content que ça vous ait plu. Merci.

— J'ai été enchantée, vous voulez dire. J'ai ressenti une telle émotion... »

À ces mots, elle mordilla sa lèvre inférieure.

Elle avait une quarantaine d'années, possédait de longues mains blanches, était habillée avec soin. Comme nous étions un peu à l'écart, elle sortit discrètement un miroir de son sac et me demanda si j'en voulais.

« Vous lisez dans mes pensées », fis-je en tirant mon siège près du sien.

La nuit pouvait commencer. Je desserrai ma cravate sans attendre et retournai au bar avec la certitude qu'il n'y avait pas mieux à faire. Mieux valait garder une certaine distance, un certain décalage, sous peine d'avoir envie de se suicider. Ce genre de soirée était ce qu'il y avait de mieux si l'on voulait reprendre son souffle, si l'on voulait s'asseoir, écouter de la musique, boire un verre, parler avec des femmes et laisser le reste du monde dehors.

« Montrez-moi vos mains », demanda-t-elle en les saisissant.

Elle les pressa contre ses joues puis me les rendit, sans faire de commentaires.

À partir de cet instant, je commençai à être réellement défoncé. Enfin. Je respirai mieux. Je me détendis. Ces quelques jours à la campagne m'avaient éprouvé, moi aussi, et voilà que je me mettais à flotter, à ne plus voir qu'à quelques mètres de moi, à glisser dans une lumière dorée dont la tiédeur me convenait particulièrement bien.

« Je suis content que vous soyez là, lui dis-je. Vraiment très content.

— C'est très gentil de me dire ça. J'aimerais vous croire. »

Je dressai soudain l'oreille car ils passaient *The Glorious Land* de P. J. Harvey. Je tendis l'index vers le plafond. « Cette fille est incroyablement bonne », fis-je en secouant la tête. Je fermai les yeux et me concentrai quelques instants. « Vous avez tort de ne pas me croire, fis-je en lui prenant la main. Je viens d'avoir quelques journées éprouvantes et vous êtes en train d'effacer tout ça. » On entendait à présent *On Battleship Hill* — de quoi tomber à la renverse. Je portai sa main à mes lèvres. « Il faudra me donner l'adresse de votre fournisseur », dis-je. Elle me fit un large sourire et sortit de nouveau le miroir de son sac. Je me penchai sur elle et l'embrassai avec la langue en lui tenant les cheveux dans la nuque.

Je retournai chercher des verres tandis qu'elle remisait ses ustensiles.

« Buvons à notre rencontre, lui dis-je. Vous faites quoi ?

— Rien de particulier. Je lis, je voyage. »

« Quel beau métier », faillis-je répondre. Je lui fis signe d'approcher. « Venez, venez là… Approchez-vous de moi. » Je l'embrassai de nouveau à pleine bouche et lui caressai les seins, ce qui parut la ravir — elle ne portait pas de soutien-gorge.

Quelques minutes plus tard, terminant mon verre, persuadé qu'après celui-ci je ne pourrais plus me relever, je fus surpris qu'elle n'eût d'autre effort à fournir que de me tirer par la manche pour me mettre debout.

« La chambre des enfants, fis-je dans un souffle. Nous serons plus tranquilles. » J'avais l'impression que des points lumineux dansaient sous mes yeux, que les visages que nous croisions étaient déformés.

Lorsque Roger ouvrit la porte, j'avais remonté mon pantalon mais ma partenaire s'offrait quelques secondes de répit. Agenouillée devant l'un des deux lits jumeaux, dans l'exacte position où je l'avais prise moins d'une minute plus tôt, buste basculé en avant, jupe troussée sur les hanches, fesses nues, offertes, luisantes, elle respirait avec application.

Voyant le tableau, il resta stupéfait et garda la poignée de la porte en main jusqu'à ce que j'arrive sur lui et fasse écran.

« Marc, mais c'est quoi ?! aboya-t-il en se décomposant.

— Tout va bien, fis-je en le poussant dehors. Que se passe-t-il ?

— Tu fais ça chez moi ? Dans la chambre de mes enfants ?

— Roger, tes enfants ne sont pas là.

— C'est la chambre des enfants, putain de merde ! »

Avoir des enfants rendait dingue. Ne pas avoir d'enfant rendait dingue.

Je jetai un coup d'œil par-dessus son épaule et aperçus la lueur de l'horizon.

« Il est tard, dis-je.

— Mais d'où sors-tu ? glapit-il. De quelle contrée reculée ? Espèce de sauvage. Tu joues à l'homme des bois ? Tu te crois autorisé à te vautrer sur le lit de ma fille, espèce de malade ?! Sors de chez moi. Putain, Marc, sors de chez moi ! »

Nous nous retrouvâmes dehors, la femme et moi, et je la suivis jusqu'à sa voiture.

« Vous voulez que je vous raccompagne ? » demanda-t-elle.

Elle ne manquait pas de charme. Maintenant que je la voyais à la lumière du jour, j'étais étonné de ne pas être déçu.

« Non, non, merci bien, fis-je. Merci, je crois que je vais marcher un peu. »

Nous nous embrassâmes sur les joues, chaleureusement, chacun ravi de sa rencontre avec l'autre, puis je fis quelques pas à reculons — une sorte d'exploit dans l'état où j'étais, dans cet état d'infinie faiblesse que je connaissais bien, où me laissaient mes excès —, j'exécutai un demi-tour et repartis dans l'autre sens.

Je relevai mon col car l'air était frais. L'aube se levait à peine. Je me demandais si je n'y étais pas allé un peu fort, autant pour ce qui concernait le niveau de mes différentes consommations de la nuit que pour la foi en mes capacités de rentrer à pied — rien ne semblait moins certain, à présent, et un message m'indiquait qu'il n'y avait aucun taxi dans le secteur. Mes jambes n'étaient pas très solides et la rue semblait monter. Je ne reconnaissais rien. Je faillis avoir une crise cardiaque lorsqu'un chien sauta contre un grillage qui nous séparait, je fis un tel écart que je m'étalai par terre, sur le goudron de la chaussée, terriblement granuleux à cet endroit. J'y laissai ma veste et la peau de mon avant-bras. Me relever ne fut pas facile. Le chien continuait à sauter contre le grillage en aboyant comme une créature du Diable. Je remarquai un homme qui se tenait les mains dans les poches, derrière l'animal, souriant au pitoyable spectacle que j'offrais, hirsute, hagard, sanguinolent, hoquetant. Étais-je jamais passé devant cette maison ? Cette rue me disait-elle quelque chose ? J'avais appris à me servir de mes yeux à une certaine époque, à mémoriser les lieux, à noter un détail, mais j'étais claqué et j'avais de plus en plus de mal à rentrer par le plus court des chemins, il fallait voir les choses en face.

J'arrivai chez moi à bout de forces, dans le matin frémissant, encore bleuté. Prêt à recommencer.

Gloria entra dans la cuisine cependant qu'assis à la table je regardais fondre dix aspirines effervescentes de 200 mg à la timide lueur du jour qui venait de la porte-fenêtre. Je poussai un gémissement de douleur lorsqu'elle enclencha l'interrupteur, nous engloutissant sous un flot de lumière brûlante. Je me tournai vers elle, levant le bras pour me protéger de la lumière.

« Vous vous êtes esquinté, fit-elle.

— Qu'est-ce que tu fabriques debout ? Il est à peine six heures du matin. Et ne parle pas fort, s'il te plaît.

— Vous m'avez réveillée. Vous avez fait tomber un truc. Voilà pourquoi je suis debout.

— J'ai fait tomber la machine à raclette. Elle était en équilibre sur une chaise.

— Vous étiez dans le noir ?

— La question n'est pas de savoir si j'étais dans le noir, Gloria. La question est de savoir *qui* a posé ce truc de façon si judicieuse. »

Elle me considéra en plissant les yeux. « Vous êtes de mauvais poil ?

— Non, ça va. Ça peut aller.

— Je vais faire du café. Vous en voulez ? »

En passant près de moi, elle marqua un temps d'arrêt avant de se boucher le nez. « Oh là là, mais vous sentez quoi ? Quelle horreur ! » s'écria-t-elle.

Je haussai les épaules.

Je pris mon aspirine.

« Et ce bras, vous allez en faire quoi ?

— Tout va bien. Je vais m'en occuper. Tu peux retourner te coucher.

— Je vous conseille d'aller prendre une douche, parce que... pouah ! Sincèrement !... »

Je la regardai sans répondre.

Elle ajouta : « Et alors, cette soirée, c'était comment, c'était bien ? »

Je hochai la tête. Elle portait un tee-shirt qui lui tombait aux genoux.

« Vous vous êtes envoyé une pute ? »

Je grimaçai. « Non, pas exactement.

— Vous avez un autre nom pour dire ça ?

— Je te trouve un peu dure. Tu n'es pas du matin, on dirait. Voilà au moins une chose que tu partages avec Alex. On ne pouvait jamais lui dire un mot, le matin.

— Quoi ? Vous êtes allé chercher ça où ? Il était d'une humeur d'ange, le matin, mais qu'est-ce que vous racontez ? Regardez dans quel état vous êtes.

— Je sais dans quel état je suis. Ça me convient très bien.

— Oh oui, je suis au courant. Il parlait de vous, de temps en temps.

— Ah oui ? Formidable. Est-ce qu'il pleurnichait sur son sort ? »

Sans attendre la réponse, je me dressai sur mes jambes et ralliai le salon d'un pas raide pour me confectionner un grand verre de martini-gin. Depuis qu'Élisabeth avait déserté le foyer, aucune plante n'avait tenu bon, tous les vases étaient vides et, à mon goût, la pièce était devenue sinistre, seuls les canapés valaient encore la peine, ils étaient larges et profonds, fermes et agréables, je les avais fait venir du Danemark sur un coup de tête.

J'allai m'y asseoir une minute avant de monter dans ma chambre — si une telle chose demeurait encore à ma portée. Je vidai mon verre. Parfois, on n'allait pas assez loin et il fallait fournir un ultime effort. Je restai assis et me cramponnai à mes genoux qui commençaient à trembler.

☛ Le lendemain, il réussit à se rendre à l'atelier avant midi — la fin du trajet qu'il exécuta à vélo le revigora. Il se commanda plusieurs cafés, un sandwich, et attaqua un bloc de résine au ciseau à bois et à la râpe. Il fit une pause, les bras endoloris, fuma une cigarette puis reprit de plus belle.

Lorsque le soir tomba, il avait bien avancé. Physiquement, la séance avait été éprouvante. Il avait travaillé sans interruption durant six heures et la fatigue se faisait sentir. Il ne se souvenait plus à quel moment il avait perdu connaissance, ni qui l'avait porté jusque dans son lit, mais cette fatigue était bien le moins qu'il pût éprouver, quoi qu'il en soit. Il se sentait oppressé, vanné.

Il laissa tout en plan et resta un quart d'heure sous la douche. Plus les années passaient, plus le temps de récupération rallongeait. Il se frictionna. S'il estimait qu'il fonctionnait à cent à l'heure quand il était au plus haut de sa forme, il tournait autour de soixante-cinq aujourd'hui et cela indiquait clairement la direction que les choses prenaient. Il enfourcha son vélo et se laissa doucement glisser jusqu'à la gare. Il s'arrêta pour acheter une entrecôte — quand autrefois il aurait filé directement en boîte ou à une soirée quelconque sans rien de solide dans le ventre. Gosier humide, nez blanc.

Il n'était pas très tard, le métro était plein mais il passait au-dessus des rues bloquées, des avenues engorgées, des quais immobiles, ce qui le rendait supportable. Il récupéra sa voiture à l'autre bout de la ligne et il démarra en trombe pour éviter les embouteillages inévitables qui se formaient lorsque deux ou trois imbéciles prenaient le volant en même temps et provoquaient le chaos avant de rentrer chez eux.

Il fit un détour pour donner à Michel les photos et les indications relatives au moulage de son travail de la journée, mais celui-ci n'était pas rentré. Anne lui servit un verre de vin tandis qu'il branchait son téléphone sur la machine de la maison et transférait commentaires et photos en pièces jointes à l'attention de Michel. « Où est-ce qu'il est ? » demanda-t-il sans quitter l'écran des yeux, tapant quelques notes relatives à ses dernières idées concernant la conservation de son travail, lequel continuait à péricliter à droite et à gauche (dernièrement dans le bureau de l'ambassadeur de France à Rome, palais Farnèse) sans explication plausible — comme celui d'un bon nombre d'artistes de sa génération, d'ailleurs.

« Mystère et boule de gomme », répondit Anne qui ne semblait pas encore très gaillarde sur ses jambes et fumait cigarette sur cigarette, comme une locomotive à vapeur, le coude au creux de la main. Il se débrancha, s'écarta du bureau. Il n'avait rien pris de la journée mais demeurait le jouet de remontées et de redescentes fulgurantes.

« De toute façon, peu importe, poursuivit-elle en envoyant valser sa cendre de cigarette. C'est le cadet de mes soucis… » Elle se laissa choir dans un fauteuil. La vue sur la ville était splendide. « La fameuse crise du milieu de la vie, soupira-t-elle, je crois que ça peut arriver même avant. Tu vois ce que je veux dire ?

— Tout à fait. »

Malgré la conversion d'Alex au régime végétarien, qui l'avait ému d'une certaine manière, il rentra sans plus tarder pour cuire son entrecôte et refaire son pansement.

Dès qu'elle l'entendit rentrer, Gloria lui raconta qu'elle s'était sentie observée jusqu'à la nuit tombée, derrière la maison pour commencer, tandis qu'elle ramassait du petit bois, puis une fois qu'elle était rentrée, au point qu'elle s'était enfermée à clé et avait regardé un film en serrant un couteau de cuisine sur ses genoux.

D'un tiroir muni de roulements à billes, il sortit une puissante lampe-torche dont il vérifia la bonne marche avant de la tendre à Gloria. « Regarde si tu vois quelque chose, lui dit-il. Tu veux de la viande ?

— De la *viande* ?

— Écoute, j'ai vu qu'il restait quelques radis dans le bac à légumes. Je te les laisse. »

Elle sortit et il la vit réapparaître derrière la fenêtre puis s'éloigner en balayant les alentours avec sa lampe, comme si elle allait aux champignons. Elle faisait peur. Cette fille lui faisait peur, finalement. Il mit une poêle sur le feu. Il se servit un verre de vin blanc. Et juste au moment où il crut la voir disparaître, elle fit demi-tour et revint vers lui.

« Non, je ne sais pas, je n'ai rien vu… » soupira-t-elle en refermant la porte dans son dos. Elle se servit à son tour. Elle prit des nouvelles d'Anne et il répondit qu'elle se sentait mieux, qu'elle pourrait sans doute reprendre son travail à la galerie dans deux ou trois jours. Il retourna sa viande. « Tu as perturbé pas mal de gens, reprit-il, depuis ton arrivée. Tu t'en es aperçue ? »

Elle frotta une pomme contre sa manche. « Non. Ah bon ? » Elle alla s'enfoncer dans un fauteuil du salon tandis qu'il s'installait à la table. Il mangea sa viande tranquillement, sans échanger le moindre mot avec elle.

Comme il se levait, elle demanda : « Et Anne, vous l'avez baisée ? »

Il hocha la tête : « J'ai été son petit ami durant une année entière. Il y a longtemps. Difficile de l'oublier. Je faisais toujours tout un tas d'histoires pour passer la nuit entière dans son lit, avec elle. Sans compter que nous étions du même bord, politiquement. Michel et moi, nous l'avons connue durant un stage de survie où elle a excellé, où elle nous en a tous fichu plein la vue. Moi le premier. »

Il rangea son assiette dans le lave-vaisselle. « Elle n'avait pas besoin d'un couteau pour se défendre, poursuivit-il. Elle a été très gentille avec toi l'autre soir. Anne était capable de tuer un homme à mains nues lorsqu'elle s'est jointe à nous. Je ne dis pas qu'elle a été prise pour ça, mais je sais que ça a compté. La maîtrise de certaines techniques est un sérieux avantage, en ce monde. »

Il s'avança dans le salon.

Elle lui jeta un coup d'œil. « Vous ne sortez pas, ce soir ? Vous n'avez pas trouvé un truc à faire ? »

Elle employait presque toujours ce ton un peu méprisant, sarcastique avec lui. Il espérait que ça ne deviendrait pas une habitude.

« Non. Ce soir je vais me coucher. Je ne veux rien d'autre. »

Au même instant, disant cela, il aperçut une ombre dans le jardin.

Il attrapa la batte qu'il rangeait dans l'entrée avec les parapluies et il sortit dehors en brandissant l'engin au-dessus de sa tête, mais l'autre filait déjà vers les broussailles. « *Hey !* hurla-t-il en s'élançant derrière le fuyard. *HEY !!* » Il le rejoignit vite. Ils allaient bientôt arriver sur la route quand il plongea dans ses jambes et ils dévalèrent sur plusieurs dizaines de mètres, roulant pratiquement l'un sur l'autre, jusqu'à l'arrêt complet.

« Mais qu'est-ce qui te prend ? Qu'est-ce qui t'arrive ?! » lança-t-il rageusement en saisissant Michel par le col — mais il le relâcha presque aussitôt, comme s'il se brûlait. Michel se releva le premier, blême et soufflant. Marc ne le quittait pas des yeux.

« Quoi ? fit Michel en frottant ses vêtements, se passant la main dans les cheveux. Je jetais un coup d'œil, et alors ? Je venais te voir. J'ai cru que tu étais devenu fou. Quoi ? Tu m'as flanqué une trouille bleue, mon vieux. »

Il considéra la main que lui tendait Michel pour l'aider à se relever. Il hésita un instant, la bouche encore pleine de l'intensité amère de leur poursuite. Mais pour finir il accepta l'aide que l'autre lui offrait et il se remit sur pied et à son tour s'épousseta. « J'ai eu ton message, reprit Michel, et je voulais juste voir un ou deux points avec toi avant de rentrer. Je ne venais pas pour me faire assommer, figure-toi. Mais c'est vrai, je me suis arrêté pour vous regarder. C'était comme un tableau. C'est mon côté un peu voyeur, tu sais. »

Marc ne répondit pas. Ils remontèrent vers la maison.

« À propos, fit-il. Anne se demande où tu es passé.

— J'espère qu'elle n'est pas morte d'inquiétude », grinça Michel.

Quelques étoiles scintillaient faiblement, les arbres étaient sombres et silencieux, quelques lumières brillaient dans les maisons avoisinantes où des formes s'agitaient derrière les rideaux, quelques embarcations sur le fleuve, quelques lucioles, des nuées de moucherons dans l'éclairage public, quelques vers luisants sortaient du tapis de feuilles mortes, la nuit bruissait encore d'insectes, mais avec moins d'entrain.

« J'aimerais que tu me trouves ces types qui ont réalisé des masques sur des momies égyptiennes, récemment. J'aimerais leur parler », fit-il tout en s'apercevant que Michel n'avait sans doute pas prêté la moindre attention à ce qu'il venait de dire — se tenant au milieu du salon vide, face aux baies, les poings enfoncés dans les poches, immobile, muet, tendu.

Il s'installa dans un fauteuil pour attendre plus confortablement que Michel retrouvât ses esprits. De ce côté du patio, on avait une vue directe sur la chambre de Gloria, du moins voyait-on la lumière briller derrière le rideau rouge tiré devant sa fenêtre et qui semblait littéralement hypnotiser son ami.

« Ça alors, c'est terrible, s'esclaffa ce dernier en secouant la tête. Je crois vraiment que je la fais fuir ! Ou alors elle doit penser que j'ai la peste. »

Marc tâcha de le rassurer. « C'est un âge difficile, une autre génération, ne te casse pas la tête avec ça. Ils ne sont pas comme nous. Ne prête pas attention à elle, prépare-toi plutôt à une course d'endurance. Nous n'allons pas l'amadouer en quelques jours, ça, ne l'espère pas. »

Il sortit deux bières du frigo mais Michel déclara qu'il n'en voulait pas, qu'il préférait rentrer car il se sentait fatigué, tout à coup. Complètement mort.

☛ À la lumière de ce qui arriva par la suite, je pris conscience que le chemin avait été semé de signes, d'indices que je n'avais pas su — ni peut-être même voulu — déchiffrer. Mais il ne restait déjà sans doute plus assez de temps pour prendre d'éventuelles mesures lorsqu'un vague embryon de pressentiment commença à germer dans mon esprit.

Il se passa moins d'une quinzaine de jours entre le soir où Michel et moi avions roulé dans le fossé et la terrible tragédie qui allait se dérouler dans les environs immédiats. Quinze jours ! Beaucoup et peu à la fois, avanceraient certains.

Le lendemain de mon empoignade avec Michel — quelques ecchymoses témoignaient de notre brillant exercice nocturne —, j'avais rendez-vous avec un jeune dealer dans la partie de la ville qui n'était pas la mieux famée, de l'autre côté du pont, peu destinée aux familles, mais, le soleil aidant, l'endroit paraissait beaucoup moins lugubre. De bon matin, un homme en tenue de pompier était sorti par la porte d'un appartement en flammes avec un enfant dans les bras et cette vidéo tournait en boucle sur tous les écrans du pays, en sorte que les gens se sentaient d'assez bonne humeur de façon générale — malgré le mauvais tour que leur avaient joué les banques et les profiteurs de toutes sortes —, et il faisait encore bon, ils abordaient la journée avec confiance et sérénité. Aussi les bords du fleuve étaient-ils abondamment fréquentés, sillonnés, utilisés de mille et une manières, mais ils étaient suffisamment larges et réservaient de nombreux coins tranquilles, ombragés, ratissés, couverts de gazon, que la mairie entretenait avec un soin maniaque pour son image. Les eaux miroitaient, le fleuve roucoulait comme une source. Je déambulais en réfléchissant au problème que posait la dégradation de mon travail lorsqu'il était exposé dans un endroit trop chaud ou trop froid. Je correspondais avec un peintre de Hambourg qui rencontrait les mêmes problèmes que moi et qui me donnait une recette de sa composition, mais j'hésitais à manipuler des produits inflammables.

Chemin faisant, je me rapprochai d'un groupe d'adolescents un peu louches qui discutaient entre eux, autour d'un banc, avec des airs de conspirateurs, et je reconnus Gloria parmi eux. Je fis aussitôt demi-tour.

J'espérais qu'elle ne m'avait pas vu car je ne tenais pas à lui expliquer ce que je fabriquais dans les parages. Mais en même temps, je me demandais ce que *elle* y fabriquait.

Je récupérai mon dealer plus haut, à deux rues de là, lui expliquai ce qui se passait, mais il faillit devenir hystérique en raison de ce léger accroc dans nos plans, poussa des cris, jura, et très vite, quelques personnes intriguées s'arrêtèrent et commencèrent à nous regarder, et je pensais à tout ce que cet imbécile devait avoir sur lui et je ne pouvais pas croire qu'il fût en train de provoquer un tel scandale au milieu du trottoir, à moins d'être complètement azimuté.

Je le plantai donc là, sans plus attendre. La personnalité d'un dealer étant aussi importante que sa marchandise, ce garçon ne pouvait pas faire l'affaire, de toute évidence.

J'en profitai pour revenir sur mes pas, mais cette fois en prenant toutes les précautions nécessaires afin de ne pas être repéré par Gloria.

Il se dégageait de la petite bande quelque chose de très étrange, que ma subite volte-face m'avait empêché de discerner : il y avait entre eux un air de famille particulièrement frappant, au point qu'ils auraient pu être frères et sœurs, Gloria comprise, ou encore mieux jumeaux. Ils constituaient un tableau assez étonnant. Durant quelques secondes, Gloria regarda fixement dans ma direction mais je ne remuai pas un cil et elle ne remarqua rien. Pendant ce temps, les autres terminaient une sorte de conciliabule tendu et ils se tournèrent vers elle et semblèrent la réprimander car elle baissa la tête et acquiesça en prenant un air de petite fille prise en faute dont je ne la croyais pas capable. Elle tenta bien, cependant, et pour ce que j'en saisissais, d'argumenter, mais ses accusateurs reprirent le dessus et lui clouèrent le bec.

Comme je me décidais, perplexe, à reprendre le chemin de la maison, mon ex-dealer me rattrapa un peu plus loin et se confondit en excuses, m'expliquant qu'il était sous l'effet d'une nouvelle substance et que je pouvais sans doute le comprendre.

« Ne compte pas là-dessus, lui répondis-je. Sors de mon chemin. »

Je rentrai aussitôt et fouillai sa chambre, mais elle possédait très peu d'affaires et je ne trouvai rien, ne glanai pas le moindre indice intéressant, sinon justement qu'il n'y avait rien d'intéressant à glaner.

Je restai un moment assis sur son lit. La photo d'Alex, qu'elle m'avait subtilisée après avoir plus ou moins dévasté les lieux peu de temps auparavant, trônait à présent sur sa table de nuit, dans un cadre de voyage en métal poli, mais j'évitais d'y poser les yeux.

Une fois sorti de sa chambre, je m'aperçus que l'après-midi était bien entamé et je renonçai à partir pour l'atelier. Je me servis un verre de vin et descendis chercher du matériel à l'entresol afin de réaliser une maquette pour un projet avec la Direction Générale des Postes que j'avais laissé traîner.

Il faisait nuit quand elle rentra.

Du salon, je lui adressai un signe de la main puis baissai de nouveau les yeux sur l'écran de mon portable où s'alignaient mes notes concernant le projet en question — l'ébauche de la maquette occupait déjà la moitié de la table, je prévoyais de tout faire en bambou et de n'utiliser que des produits naturels, dans la mesure du possible.

J'avais passé les dernières heures à m'interroger sur ce que j'avais vu et j'avais très envie de lui en parler, mais j'avais peur de commettre une de ces maladresses qui peuvent à jamais ternir une vie, la flétrir, la ronger, j'avais peur de la faire fuir en la poussant dans ses retranchements et de perdre alors tout espoir de sauver quoi que ce soit. Au fond, elle pouvait bien fréquenter qui elle voulait, être qui elle voulait, être ce qu'elle voulait, ça n'avait aucune importance, non, vraiment, strictement aucune importance.

« Je pensais me faire des saucisses grillées, déclarai-je. Est-ce que ça te dit ?

— Des saucisses grillées ? Comme c'est délicat, comme c'est charmant !

— J'ai des ailerons de poulet à la mexicaine, sinon.

— Ça marche. Les ailerons, ça marche. C'est okay pour moi. »

Les barbecues de nuit étaient les meilleures choses du monde — les morceaux d'une planète brisée nommée Paradis qui tombaient parfois sur Terre et l'illuminaient de leur éclat. Il suffisait d'un haut de survêtement un peu molletonné, d'une bonne capuche, et la fraîcheur du soir devenait agréable. La lune brillait au centre d'un halo cotonneux.

« C'est à ça que vous avez consacré votre journée ? » demanda-t-elle en désignant la maquette. Elle semblait assez ivre. Sa peau luisait un peu.

« Oui, mais je ne suis pas très doué. Je n'en fais pas assez. »

La viande grésillait. Gloria était allée chercher deux verres de vin et avait fait le voyage jusqu'à la cuisine sans incident, ce dont je la félicitai en indiquant la hauteur de ses talons hauts du bout de mes pinces. « D'où les sors-tu ? fis-je en souriant.

— Elles vous plaisent ? » répliqua-t-elle du tac au tac en levant une jambe vers moi, ce qui eut pour effet mécanique de tirer sur sa jupe déjà bien courte et de présenter son entrejambe à ma vue.

« Elles sont très jolies, lui répondis-je en me tournant vers le gril.

— Oh pardon! Excusez-moi! Oh pardon! » fit-elle comme si elle venait de renverser cinquante litres de lait sur le sol.

Je la rassurai, me penchai vers la balancelle pour lui toucher la main : « Tout va bien, Gloria. Il n'y a pas de mal. Ne te fais aucun souci là-dessus, j'ai déjà oublié. »

Ce qui était l'exacte vérité. J'avais jeté une tonne de terre dessus et je l'avais tassée, bien tassée, en un éclair. Nous nous installâmes à l'intérieur pour manger car elle craignait d'attraper froid. Il était environ une heure et demie du matin, je venais de jeter une bûche dans le feu et elle commença par jouer avec les commandes de la télé. Elle s'arrêta sur un film porno.

« Je l'ai déjà vu, fis-je au bout de quelques minutes. Dépêchons-nous de manger car la fin est vraiment très dure. » Elle ricana et visa l'écran pour éteindre.

« C'est votre religion qui vous l'interdit? »

☛ Il se leva sans répondre, ramassa les assiettes et les emporta à la cuisine. Il se demanda s'il devait freiner la consommation de la jeune femme ou au contraire l'encourager pour l'assommer plus vite et la coucher tout habillée, mais il n'avait encore arrêté aucune décision lorsqu'elle l'intercepta au retour et noua ses bras autour de son cou, s'y enchaîna comme s'ils allaient sombrer, avant d'aussitôt, sans qu'il ait pu le moins du monde réagir, refermer ses cuisses autour de sa taille.

☛ Le lendemain, elle me déclara qu'elle voulait se cacher dans le trou d'une petite souris tant elle était gênée par sa conduite envers moi, tellement, absolument honteuse.

« N'en fais pas toute une histoire, lui dis-je. Quant à moi, j'ai plutôt trouvé ça drôle. Je suis sûr que bientôt, nous en rirons.

— Je n'en suis pas sûre. Oh, j'en suis malade, je me suis conduite comme une traînée. Heureusement que c'était vous. J'en connais qui en auraient profité. Vous avez quand même une sacrée volonté.

— Je ne me suis même pas posé la question, tu sais. Il va de soi que je ne peux pas toucher la petite amie de mon fils.

— L'ancienne petite amie.

— Oui, appelle ça comme tu veux… mais comment dire… je ne peux tout simplement pas y penser, voilà pourquoi ! »

Je lui caressai la joue, lui fis un clin d'œil et sortis. Je ne voulais pas prolonger cette conversation avec elle. Et j'étais si profondément perdu dans mes pensées que je dépassai la gare, traversai le périphérique et me retrouvai en pleine abomination, à savoir conduire en ville, conduire dans ces stupides embouteillages, au milieu d'autres imbéciles, chacun condamné à perdre son temps, à s'empoisonner à petit feu, se diminuer, régresser, mais il était trop tard pour pleurer et j'allumai la radio. Tout allait tellement mal, en général, que même un gros embouteillage finissait par être acceptable au regard de la souffrance du monde — qui retournait à l'état sauvage, quelquefois.

J'appelai Michel : « Je suis bloqué. Je vais abandonner ma voiture. Sinon je vais devenir fou. Tu peux m'envoyer quelqu'un ? Bon Dieu, je suis sorti et je ne vois qu'un océan de voitures dans les deux sens ! Oh bon Dieu ! » Je n'étais pas très loin. Dix minutes plus tard, j'avais avancé de dix mètres — le problème venait apparemment d'un rond-point en amont, célèbre pour ses engorgements mais vers lequel chacun semblait vouloir converger à toute force comme une armée de zombies.

Je donnai les clés à un stagiaire de la galerie qui avait fait tout le chemin en courant — je lui dis qu'il n'aurait pas dû, qu'il trouverait des kleenex dans la boîte à gants s'il avait envie de s'essuyer les mains avant de prendre mon volant, et je l'abandonnai le cœur léger, comme si je venais d'avaler un antidépresseur. Je n'avais pas prévu de passer à la galerie en sortant de la maison et je n'avais rien à y faire de précis, mais j'arrivai au moment où Michel déballait les pièces d'une exposition sur les tatouages dans les prisons russes prévue pour la fin de l'année — de vrais dingos, ces Russes.

Je les observai un moment de l'extérieur, Anne ouvrant les cartons au cutter et lui qui en examinait le contenu, tous deux secouant la tête avec une moue respectueuse avant de passer à la photo suivante. Michel était accroupi et Anne gardait une main sur son épaule. Si je repensais au chemin que nous avions parcouru ensemble, à la trentaine d'années que le voyage avait duré, cette main m'emplissait de tendresse à leur égard — je me souvenais avant tout des coups durs qu'ils m'avaient aidé à surmonter, comme nous l'avions toujours fait en nous soutenant mutuellement, et cela avait édifié un formidable rempart autour de nous.

Ensuite venait un autre sentiment, celui que cette relation triangulaire étouffait, asphyxiait, aveuglait — et Julia s'en était toujours estimée rejetée, s'en était toujours prétendue la victime offensée malgré les précautions que l'on prenait continuellement —, que ce rapport à trois ne fonctionnait pas aussi bien que ça étant donné l'extrême combustibilité de nos rapports, au final.

Mais ils étaient mes meilleurs amis, quoi qu'il en fût. Je continuai de les observer une minute avant de me manifester tandis que la rumeur d'un concert de klaxons flottait dans le lointain. Anne avait été une bonne petite amie et elle était devenue une excellente amie, relativement névrosée mais excessivement proche. « Que Dieu la bénisse ! » songeais-je parfois à son propos. Michel avait cinq ans de plus que moi et il était comme un frère, ce qui se révélait plus simple, en dehors du fait que j'avais copieusement baisé sa future femme au milieu des années quatre-vingt. Je les aimais tous les deux. Ils étaient les dernières personnes que je voulusse blesser, sur lesquelles j'eusse levé la main.

Je pensais à l'image que nous donnions, à notre manière de vivre. Comment Gloria nous voyait par exemple, comment nous voyait Alex. Ce point de vue m'intéressait. Je savais que nous n'avions pas une très bonne image auprès d'eux, que nous étions vomis pour l'extrême et coupable égoïsme dont nous avions fait preuve dans bien des domaines, mais je ne l'avais encore jamais ressenti avec autant de force que durant l'année écoulée, et plus encore depuis que Gloria occupait la chambre d'amis.

Pourquoi m'étais-je soudain préoccupé d'une fille ivre dans le métro? Quelle mouche m'avait piqué? Pourquoi cette image m'avait-elle soudain paru intolérable alors qu'elle ne m'avait jamais choqué auparavant, alors qu'elle faisait plutôt partie du paysage ordinaire de ces sorties nocturnes qui avaient émaillé toutes ces années de ma vie? Combien de femmes, d'adolescentes avais-je vues rendre l'âme en fin de soirée, fin saoules, déchirées, aussi bien dans les toilettes pour hommes qu'au milieu du trottoir, au milieu des passants, combien en avais-je vues glisser contre un mur, combien en avais-je entendues presque aussi grossières que les hommes et tenant des discours incohérents et bavant sans même s'en rendre compte comme des attardées mentales ? Impossible de donner un chiffre, mais beaucoup, énormément, et je n'y prêtais plus d'attention particulière, si jamais j'en avais une seule fois prêté. Que m'était-il arrivé, tout à coup ? Ça demeurait une énigme.

Je me posais ces questions de l'intérieur d'un bar à sushis où je les attendais en buvant une Iki, songeant à ce petit monde que nous nous étions construit avec un soin méticuleux, depuis ce bar où je me trouvais jusqu'à nos avions, nos voitures, nos maisons, nos produits bio, nos cachemires, nos ordis, notre amour des marques... Un tout petit monde — pâle, convenu, étriqué, dérisoire. L'idée d'avoir consenti d'énormes sacrifices pour ça paraissait inconcevable, démentiel.

« Je suis d'accord avec toi, fit Anne sans lever son nez du menu. Comment aurions-nous fait dans un monde sans médicament, sans drogue, sans alcool ? » Elle secoua la tête et frissonna. « Ne cherche pas », murmura-t-elle en poursuivant sa lecture.

J'étais content de les avoir invités, de les avoir avec moi. Je les voyais presque tous les jours, et pourtant c'était ainsi, j'étais capable d'avoir envie de les voir, j'étais capable d'être content de les voir et je ne savais pas s'ils m'étaient indispensables ou non mais je n'avais pas envie d'essayer. Anne dut nous quitter tandis que nous nous apprêtions à déguster une pâtisserie à base de haricots. « Je la trouve en assez bonne forme », dis-je en la voyant courir sur le trottoir et après qu'elle eut pris congé de moi en bougeant subitement la tête pour que nos lèvres se touchent.

« Oui, on peut considérer qu'elle est en forme, fit-il en prenant un air sombre. Elle récupère bien. Elle court, maintenant.

— Je vois ce que tu veux dire.

— Est-ce que tu sais que dans la majeure partie des cas, le problème vient du couple et là, nous sommes en plein dedans.

— Oui, mais le docteur Golberg...

— Ah, pitié, laisse-moi ce connard tranquille. Marc, je te dis une chose, ça ne vient pas de moi. Je n'ai pas besoin de faire ces foutues analyses de nouveau. Je ne veux plus entendre les conneries de ce type, de toute façon. »

Je levai les mains pour dire que j'avais compris. « Je ne savais pas que tu étais docteur », fis-je en demandant la note.

Dehors, il referma la main sur mon avant-bras. Il faisait beau et l'on se sentait encore en automne bien que les décorations de Noël fussent déjà en place au-dessus des rues et dans les vitrines — qui devenaient d'une violence irregardable, d'une laideur à faire bondir en arrière en se prenant la tête entre les mains.

« Écoute, me dit-il tandis que nous avancions bras dessus bras dessous sur le trottoir ensoleillé, il y a longtemps que nous ne sommes pas sortis sans nos femmes, seulement nous deux, non, n'est-ce pas, qu'est-ce que tu en dis ?

— Mais évidemment. Mais bien sûr. Ça nous fera le plus grand bien. Mettons ce plan à exécution. Une soirée entre garçons. »

Étrangement, il s'arrêta sur le trottoir et me serra dans ses bras sans prononcer un mot. Je me doutais que ce n'était pas simplement pour me remercier d'accepter son offre qu'il restait accroché à moi comme à un mât, mais bien que je ne comprisse pas au juste de quoi il retournait, j'attendis qu'il eût terminé son effusion sans manifester la moindre impatience. Les amis sont là pour ça.

Puis il s'écarta brusquement et nous reprîmes notre route. Il se serait moqué sans retenue autrefois d'un tel excès de sentimentalisme, et voilà qu'il avait failli verser une larme dans mon cou. Le monde avait-il changé d'axe ? Je savais que cette histoire d'impuissance le préoccupait profondément, l'obsédait même, et qu'il avait passé, ces derniers temps, des jours entiers à se renseigner sur le sujet, à faire le point sur l'état des recherches, à lire les derniers articles publiés aux quatre coins du monde, les déceptions et les espoirs qui alternaient — et le trouvaient parfois les yeux rougis derrière son écran, de fatigue ou d'avoir pleuré de solitude comme si on lui avait annoncé un cancer ou qu'il fût victime d'un effroyable chagrin d'amour.

Je lui proposai de venir me prendre à l'atelier quand il aurait fini, mais je me lançai dans l'assemblage de carreaux de thermoplastique extrudé qui n'étaient plus fabriqués qu'en Allemagne, près de Darmstadt, dans les couleurs qui m'intéressaient, et je perdis la notion du temps, si bien qu'il faisait nuit noire lorsque je relevai la tête. Il était plus de dix heures et Michel ne m'avait pas donné signe de vie.

J'en déduisis qu'il n'était pas aussi mal en point qu'il me l'avait laissé entrevoir — ou que je l'avais imaginé — au cours de ces derniers jours, et particulièrement depuis celui où le docteur Golberg avait plus ou moins grimacé en examinant ses radios. Si Michel m'avait oublié, c'était bon signe, si autre chose lui était passé par la tête, c'était bon signe. Et je n'avais ni message ni mail venant de lui. J'en bâillai de satisfaction car l'envie de sortir m'avait brusquement quitté après le travail que j'avais accompli durant huit heures non-stop et je me voyais mieux allongé sur mon canapé, un verre à la main, devant un film et peut-être en compagnie d'une de ces vilaines cigarettes, que de faire de nouveau la tournée des bars et me retrouver demain à bout de forces et migraineux pour le restant de la journée. Je m'assis et bus une bouteille d'eau avant de partir. Ensuite, je pris quelques photos avec mon téléphone et je les envoyai à la maison afin de pouvoir les examiner en même temps que la maquette. Puis je fermai.

Lorsque j'arrivai chez moi, je trouvai une nouvelle fois les lumières éteintes. Je me demandai quel nouveau court-jus Gloria avait encore bien pu provoquer — peut-être en embarquant le grille-pain sous la douche? —, or je faisais fausse route. L'électricité fonctionnait. Mais elle avait éteint toutes les lampes de la maison car un type rôdait dehors, selon elle. « Oui, mais encore ce couteau, lui dis-je. Tu vas finir par me le planter dans le ventre, un beau matin. Je ne sais pas, moi, prends plutôt un marteau. »

Je tendis la main pour qu'elle me donne le couteau et elle obtempéra après une sourde hésitation. Je la remerciai et le rangeai. Puis j'ôtai ma veste.

« Vous allez pas voir ? » fit-elle les poings sur les hanches, carrément stupéfaite.

Je soupirai : « Oh écoute, Gloria, sois gentille, je ne vais pas passer mon temps à courir après tout ce qui bouge autour de cette maison. Nous ne sommes pas seuls, nous avons des voisins, nous ne sommes pas largués en pleine nature. » Je me plantai devant la baie et observai les alentours immédiats sans y porter beaucoup d'intérêt, sachant d'avance que rien n'allait surgir d'un buisson, qu'aucun rôdeur n'était caché derrière un arbre car j'avais balayé le jardin avec mes phares en arrivant et rien n'en était sorti, aucun rôdeur, aucune ombre — et j'étais plutôt bon observateur, je le répète.

« Quand Élisabeth était là, elle laissait tout grand ouvert, repris-je. Ma foi, je doute que tu la rencontres un jour, parti comme c'est, mais elle t'aurait plu. Vous avez des points communs. Et elle aussi, au début, elle s'imaginait qu'on l'observait, qu'il y avait un voyeur ou un rôdeur tapi derrière chaque fourré, en particulier quand le soir tombait, encore pire que toi. Eh bien, c'est une question d'habitude. Elle n'y faisait même plus attention au bout de quelques mois. Alors attends-toi à subir la même transformation.

— J'espère que ça ne va pas trop tarder.

— Aie confiance. Les flics font des rondes. Rien ne t'empêche de fermer les portes, en attendant.

— Je vais acheter du gaz lacrymogène.

— Voilà. Très bonne idée. Ou un gel paralysant. »

Plus tard, comme nous regardions Euronews, je la vis sursauter et tendre une main pâle en direction du jardin qu'un hâve rayon de lune éclairait à peine tout en plaquant l'autre contre sa bouche pour étouffer un cri. J'en renversai mon whisky sur moi.

Je me levai donc pendant qu'elle se recroquevillait dans son fauteuil comme une peau de chagrin et m'avançai vers la baie, puis j'éclatai de rire.

☛ « Alex était pratiquement persuadé qu'il n'était pas votre fils, lui déclara Gloria un matin. Il pensait que le peu d'intérêt que vous aviez pour lui s'expliquait ainsi. »

Cette révélation l'assomma pour le restant de la journée. Il interrompit le petit déjeuner qu'il prenait avec elle et partit à pied pour une longue promenade dans la forêt avoisinante avec un simple pull sur les épaules. Il ne sentit le froid venir qu'au bout d'un bon moment. Ne réapparut que trois heures plus tard, blanc, frigorifié. Elle regardait un film.

« Ce que tu viens de me dire est atroce, fit-il. Mais

où est-il allé chercher ça, que je n'étais pas son père ? Il allait bien ou quoi ? »

Elle haussa les épaules. « Vous m'avez demandé, je vous ai répondu. Mais je ne fournis pas d'explications, ne venez pas vous plaindre.

— Ce que tu me dis est atroce, atroce, *atroce.* » Il s'accrocha au dossier de la première chaise qui lui tomba sous la main et ferma les yeux en le serrant très fort. « Tu es payée pour me tuer ou quoi ? soupira-t-il en se tenant le cœur.

— Écoutez, je n'y peux rien. Si c'est la vérité que vous voulez... »

Il leva aussitôt la main pour l'interrompre : « Le peu d'intérêt ? fit-il en plissant les yeux. Que je ne lui portais pas suffisamment d'intérêt ? Mais qu'est-ce que tu me racontes ? » Il avait l'impression que sa voix vacillait légèrement mais Gloria ne semblait rien remarquer. Il se passa une main sur la bouche.

Soit ! Il n'avait pas conservé toutes ces édifiantes reliques — dents de lait, gribouillages, petits mots pour la fête des pères, cendriers en terre cuite, livrets scolaires, poèmes... —, mais est-ce qu'un homme sain d'esprit était censé faire ce genre de choses, est-ce qu'un homme sain d'esprit pouvait faire un bon père ?

Il remarqua une fois de plus qu'elle l'observait avec une insistance inhabituelle depuis qu'il avait repoussé son empressante proposition de relation sexuelle — lutter un peu avec ce jeune corps l'avait empli de joie, au demeurant. Elle le regardait avec un air où se mêlaient la méfiance et la curiosité et l'on imaginait, derrière ce beau front, toutes les informations qui se mettaient en place, qui s'ordonnaient, les projections, les stratégies qui s'élaboraient.

Michel trouvait Gloria trop jolie pour être honnête et Marc pensait qu'il n'avait pas tout à fait tort mais ça ne déclenchait pas en lui, pour autant, le désir d'en apprendre davantage sur elle, de savoir qui elle était et d'où elle venait avant de rencontrer Alex.

« Eh bien, figure-toi que je le fais pour toi, lui annonça Michel. Figure-toi que je l'ai à l'œil. Je vais te faire passer un topo d'ici peu.

— Un topo, Michel? De quoi me parles-tu?

— Un topo. Tu ne sais plus ce que c'est qu'un topo?

— Je sais très bien ce que c'est. Nous en faisions des quantités à l'époque. Nous avons eu notre comptant de topos, n'est-ce pas. Mais maintenant, réveille-toi. Nous avons rendu notre tablier il y a plus de vingt ans, d'accord?

— Je peux encore tirer quelques sonnettes. J'ai encore quelques amis en place.

— Mais qui te le demande?

— Je le fais par acquit de conscience, voilà tout. On n'est jamais assez prudent, Marc. Nous le savons, toi et moi. Nous sommes mieux placés que quiconque pour le savoir et là, je trouve que tu m'inquiètes un peu, tu baisses la garde un peu trop vite. Ce n'est pas ce que nous avons appris.

— Mais enfin, je n'en reviens pas, qu'est-ce que tu fais, tu la suis, tu la surveilles ?

— Tu sais très bien ce que je fais. En tout cas, elle n'a pas de casier.

— Écoute, tu sais que parfois je me demande si tu n'es pas devenu fou ? »

Michel ricana. Il était intarissable sur les histoires d'agents qui n'avaient pas su protéger leurs arrières, qui avaient péché par excès d'optimisme ou fait preuve d'une désolante et coupable naïveté — et avaient fini par devenir homme de salle dans un bar de Buenos Aires ou pire encore, cireur de chaussures à Tanger, pour les exemples les plus connus.

« Quoi qu'il en soit, tu peux compter sur ma discrétion, reprit Michel. Je ne laisserai pas de traces, je te le promets, elle ne s'apercevra de rien. Et ensuite, nous serons tranquilles. Je ne comprends pas, de quoi as-tu peur ? Je fais ça pour toi, pour moi, pour nous, mon vieux. Pourquoi prendre le moindre risque et mettre en péril notre sécurité si on peut l'éviter aussi facilement ? J'attends que tu me prouves le contraire. »

Marc accepta le verre que Michel lui tendit. Il en avala une bonne rasade et soupira bruyamment avant d'envoyer Michel se faire foutre.

☛ Début décembre, il se mit à faire très froid. L'air était sec et légèrement venteux, le ciel blanc, lumineux, la lumière poudrée, lorsque l'on retrouva Gloria au bord du fleuve un matin, à demi morte, à demi nue, couverte de boue — il avait beaucoup plu la nuit précédente —, sans connaissance.

Pronostic vital engagé.

C'était une véritable malédiction — Marc en tremblait rien que d'y penser.

Quelques jours plus tôt, lors d'un week-end au bord de l'océan, Anne avait comparé Gloria à une grenade qui allait bientôt leur sauter à la figure mais, avait-elle enchaîné, ils étaient bien trop aveugles pour le voir.

Anne avait fait la grimace durant tout le voyage — suite à une gueule de bois dont elle n'avait donné aucune explication —, si bien qu'à l'arrivée, fourbue, elle s'était montrée désagréable et n'était pas descendue pour dîner, préférant bouder dans sa chambre et s'offrir un enveloppement d'algues suivi d'un massage californien que de partager leur compagnie.

Les trois autres avaient dîné ensemble sous la coupole, et Gloria avait proposé d'aller boire un verre quelque part à la place du dessert, ce qui était sans doute la dernière chose qu'ils auraient dû accepter mais qui sur le coup les ravit. Néanmoins, cela permit à Marc d'établir avec certitude — ce qui ne l'étonna qu'en partie — qu'il aimait profondément l'alcool, et les long drinks en particulier. Raison pour laquelle il tarda bien trop à intervenir, voulant goûter dans le bonheur et la tranquillité jusqu'à la dernière goutte de la demi-douzaine de gin-tonic qu'il avait avalés avec circonspection, tandis que Gloria et Michel s'agitaient un peu trop sur la piste.

☛ Pour être franc, et malgré le brouillard à travers lequel je percevais les choses, j'estimais que Gloria n'était pas la moins coupable de ce qui se passait devant mon nez, à l'occasion d'un morceau langoureux. J'avais vu comme elle se tendait, se tordait vers lui, comme elle se collait à lui, le brûlait du regard, et je n'avais rien fait, je ne les avais pas interpellés alors qu'ils se tenaient à quelques mètres de moi. J'étais époustouflé par l'indifférence qu'elle semblait accorder à ses promesses de bien se tenir avec les amis. Époustouflé qu'elle pût s'en prendre à Michel pour la seconde fois, connaissant la réaction d'Anne et les perturbations qu'engendrerait ce genre d'aventure.

Maintenant, bien entendu, Michel tentait de la serrer dans ses bras et elle refusait de se laisser faire. J'en aurais ri. Les choses pouvaient-elles se passer différemment ? Une logique plus absurde pouvait-elle se mettre plus merveilleusement en place ?

Je me levai cependant et m'interposai tant bien que mal, mais il finit par la lâcher et s'écarta en riant : « Hé, pas de panique. Tout va bien », fit-il.

Gloria en profita pour tourner les talons avec humeur. « Allez vous faire foutre, tous les deux, allez vraiment vous faire foutre ! » nous lança-t-elle avant de claquer la porte. J'étais ravi de la tournure que ça prenait. J'étais ravi d'être envoyé au diable alors que je n'étais pour rien dans le problème qui les opposait, j'étais ravi de l'injustice qu'elle exerçait à mes dépens en me mettant dans le même sac que Michel. Elle m'envoyait me faire foutre. Elle aurait pu être ma fille — mais visiblement, je ne méritais pas son respect.

J'entraînai Michel à une table et commandai deux verres. « Écoute. Maintenant, écoute-moi. Arrête ça, avec Gloria, arrête ce petit jeu. Maintenant. Arrête de faire le sien. Tiens-toi tranquille.

— Mais, est-ce que tu l'as vue ? Et c'est moi qui dois me tenir tranquille ? Non, mais c'est dément. Quelle petite garce.

— Michel, fais attention à ce que tu dis. Je te l'ai expliqué, elle fait partie de ma famille, à présent.

— Alors il va falloir que tu lui parles. Il va falloir que tu lui expliques certaines choses, tu comprends. J'aimerais que tu te mettes à ma place.

— Je sais. Et ça te fait honneur. Ton attitude t'a fait honneur jusque-là. » Je me tournai pour préparer deux lignes dans l'ombre — d'une main légèrement incertaine, mais je m'en sortis. Nous les sifflâmes promptement. « C'est toi qui trouves que je ne sais pas protéger mes arrières ? fis-je. C'est toi qui penses avoir des conseils à me donner là-dessus ? Tu n'as peur de rien, toi. Je croyais que c'était moi qui devais me méfier. »

J'allumai une cigarette mais une fille habillée en soubrette fondit sur moi à l'instant même et m'indiqua la pancarte en secouant vigoureusement la tête. « Très bien, allons dehors », déclarai-je en me levant maladroitement mais sans renverser la table.

J'avais oublié que nous étions au bord de l'océan. J'allai m'asseoir sur un muret qui surplombait la plage pour profiter de l'air — étonné, pleurant de joie pour ainsi dire à l'idée qu'une chose aussi merveilleuse et subtile fût abondante et gratuite.

Je hochai la tête pour faire signe à Michel que tout allait bien et qu'il pouvait rentrer à l'hôtel sans plus se soucier de moi, cependant il prit place à mes côtés et garda le sourire jusqu'à ce que je l'informe de mon intention de me lever — depuis un moment déjà, mais toujours en vain, néanmoins — et que, satisfait, il me propose son aide.

« On y va quand tu veux », me dit-il. Je donnai le signal et nous remontâmes la longue rue scintillante — du mica aggloméré à l'enrobé bitumineux — qui longeait la corniche crayeuse — courbé, je m'accrochais à son bras comme si l'on avançait au milieu d'une tempête alors que ne soufflait qu'un air léger, relativement iodé, qui ne prenait même pas la peine de soulever une feuille morte, qui sans doute était noire et lourde et pleine d'eau.

Une immense tête de cerf empaillée était suspendue au-dessus du comptoir où se tenait ordinairement le concierge. Un tigre énorme trônait dans le hall et quelques hiboux royaux ornaient la bibliothèque. « Allons voir si le bar est ouvert », dis-je.

Je me retrouvai dans un ascenseur — que je n'identifiai pas tout de suite jusqu'au moment où une clochette clingua et qu'une porte s'ouvrit sur le couloir parfumé qui menait à nos chambres. Michel passa mon bras autour de son cou et me guida jusqu'à la mienne sans tenir compte de mes jérémiades, résistances, protestations.

Il m'allongea sur mon lit et m'enleva mes chaussures après m'avoir aidé à me dégager des manches de ma veste. Il devenait de plus en plus difficile de se priver d'euphorisants pour tenir bon, de sorte que j'attendis qu'il se fût éclipsé pour me redresser et foncer droit vers le minibar que je dévalisai de ses mignonnettes, me laissant choir devant.

Une fois cette nécessaire besogne accomplie — je dormais extrêmement mal depuis que j'avais appris que mon fils croyait que je n'étais pas son père —, je rassemblai mes forces et me glissai sous la douche afin de vomir une bonne fois pour toutes sans créer trop de dégâts vestimentaires ou autres et d'être à pied d'œuvre quand viendrait le moment de me laver de mes ignominies.

Sous l'eau glacée, je retrouvai peu à peu mes esprits, claquant des dents et m'apercevant que j'avais réglé le mitigeur sur le bleu. Je tendis une main tremblante, tournai vers le rouge, hurlai car je m'ébouillantai et bondis hors de la cabine pour m'effondrer sur le tapis de bain. Où je restai un moment recroquevillé, atone. Puis je me relevai et enfilai un peignoir, une paire de chaussons jetables, et me laissai retomber sur mon lit comme un sac. Le plafond était haut, j'entendais la soufflerie de l'air conditionné dans le lointain — à moins que ce ne fût la rumeur de l'océan ou un séchoir à cheveux à l'autre bout de l'hôtel ou Dieu sait quoi.

Puis je finis par m'apercevoir que c'était le téléphone de la chambre qui vibrait, et je le retrouvai enfoui sous les oreillers en compagnie du réveille-matin.

Gloria était au bout du fil. Elle voulait savoir si je pouvais intervenir pour expliquer à Michel qu'il était deux heures du matin et qu'elle voulait dormir.

« Nom d'un chien, que se passe-t-il? » fis-je en grimaçant car je reprenais contact avec la douleur physique de communiquer, d'entendre la voix des autres, de même que la mienne ou quelque son que ce fût.

« Il est devant ma porte », répondit-elle.

J'étais totalement incapable de faire quoi que ce soit — rouler sur le ventre me demanda un terrible effort et je restai un moment immobile à m'interroger sur le confort de cette nouvelle position, le nez enfoui dans l'édredon, et la simple idée d'en bouger m'était d'ores et déjà intolérable.

Je me laissai glisser sur la descente de lit, cependant, puis m'accrochai aux draps pour me remettre debout. Contrairement à ce que Michel pensait, je n'avais pas tout oublié des leçons qui nous avaient été données et certes, si mon sens de l'observation n'était plus aussi aiguisé qu'alors, si mon temps de réponse était plus long et les quelques coups que l'on m'avait enseignés réduits à des approximations qui les rendaient certainement inopérants, je savais encore quoi faire afin de reprendre les commandes et je m'empressai de fouiller les poches de mon pantalon pour trouver de quoi me charger d'une ou deux lignes.

Après quoi je me frottai les gencives et sortis dans le couloir.

Comme je l'avais supposé, il était complètement saoul à son tour, et se tenait devant la porte de Gloria qu'il heurtait mollement du poing. C'était une vraie chance que nous fussions décalés dans nos emplois du temps alcooliques, lui et moi, que je fusse en train de remonter à l'air libre tandis qu'il s'affaissait — il avait appuyé son front contre la porte et semblait servir d'arc-boutant.

Je ne comprenais pas ce qu'il marmonnait mais il leva les yeux pendant que je m'avançais en croquant mes aspirines — terribles, car elles étaient solubles et je n'avais pas d'eau et je sentis que je commençais à baver, qu'une mousse amère se formait sur mes lèvres.

J'avais préparé quelques paroles apaisantes censées m'aider à le reconduire dans sa chambre à mon tour mais je ne parvenais pas à articuler un mot dans ces conditions. On aurait dit que j'avais la rage, comme je le découvris dans la salle de bains après l'avoir laissé sur son lit pour courir me rincer la bouche — et me rafraîchir de nouveau le visage par la même occasion.

Puis j'allai coller l'oreille à la porte de la chambre communicante pour m'assurer qu'Anne n'était pas réveillée. Tout semblait en ordre. Michel ronflait déjà. Je le poussai au milieu du lit et levant les yeux, je vis la lune qui brillait au milieu des arbres.

Au retour, je frappai chez Gloria. « Non, je ne rentre pas, tu es gentille. Il dort. Voyons-nous demain. Je suis juste à côté s'il y a quoi que ce soit. Dors bien. Je vais tâcher de m'y mettre, moi aussi. »

À la fenêtre de ma chambre, je m'assis un moment et noircis quelques pages d'un carnet avec le paysage de la côte que j'avais sous les yeux, réduit à quelques traits essentiels, quelques plans plus ou moins sombres, plus ou moins éclairés, qui composaient un assemblage à l'harmonie surprenante dont je voulais garder une trace avant que l'image ne se brouille.

Une demi-heure plus tard, j'abandonnai le tout sur la table, de nouveau épuisé, ivre en partie de fatigue, de manque de sommeil, etc., et parvins dans un dernier effort à gagner mon lit quand on frappa trois petits coups secs à ma porte.

J'attendis pour voir si ça recommençait ou si j'avais seulement rêvé, en retenant mon souffle. Trois coups secs, de nouveau. Je me raidis. Puis je finis par aller ouvrir et me retrouvai devant Anne qui portait le même peignoir que moi.

« Je suis venue fumer une cigarette avec toi, m'annonça-t-elle cependant que je tournais les talons et regagnais mon lit.

— Mais ma chérie, il est plus de trois heures du

matin, gémis-je. Je suis mort. Sans compter que tu vas enfumer la chambre. »

Elle en alluma une tandis que je tombais à la renverse sur le lit.

« Michel est tellement taciturne, en ce moment, tu ne trouves pas ?

— Anne, fis-je en secouant la tête, tu veux que nous discutions de ça *maintenant* ? »

Elle attrapa un cendrier et le plaça entre nous après s'être installée sur le lit.

« Il commence à n'être plus tout jeune. Peut-être que c'est ça. Un genre de ménopause pour les hommes. »

Je ne pus m'empêcher de ricaner. Elle me souffla la fumée au visage. « Gloria lui a joué un vilain tour, l'autre fois, reprit-elle. Elle a réveillé le goût de la jeunesse en lui. Elle lui a fait croire qu'il était encore désirable. »

Je tendis la main vers sa cigarette et tirai une bouffée.

« Ne plus se sentir désirable est-il meilleur pour la santé ? » demandai-je avant d'exhaler un filet de fumée blanc ivoire en direction du plafond.

Je regrettai aussitôt ce que je venais de dire, voyant ses joues se teinter, et lui réaffirmai ce qu'elle savait déjà, bien entendu, que notre cas était spécial et que nous étions liés par le seul choix intelligent possible au regard de l'aventure que nous avions eue autrefois : rester tranquille. Rester imperturbable. Rester ferme dans l'adversité.

« C'est facile pour toi.

— Ce n'est pas du tout facile pour moi. Élisabeth n'est pas réapparue depuis des mois. C'est aussi dur pour moi que pour toi. Je n'insiste pas. Mais nous nous sommes fixé cette règle, toi et moi, et nous devons nous y tenir. Et je crois que ce genre d'effort nous grandit.

— Seigneur ! Tu crois que je ne sais pas que tu es parti au bras d'une femme l'autre soir ?

— Oh écoute, je ne sais même pas de quoi tu me parles, et ça n'a rien à voir. Avec toi, c'est différent. Tu n'es pas une femme que j'ai ramassée dans une soirée. Tu es Anne. Tu es la femme de mon meilleur ami et nous l'aimons tous les deux et nous ne voulons pas lui faire de mal, tu es d'accord ? Nous devons nous donner des limites. Nous devons tracer une ligne que nous ne pouvons pas franchir — ou nous perdrions toute dignité.

— Marc, tu es le plus grand bonimenteur de toute cette ville, fit-elle en écrasant sa cigarette. Je connais seulement deux ou trois hommes comme toi. Vous êtes fascinants. En tout cas, tu sais qu'il y a un vrai débat en ce moment sur le Net. Est-ce que sucer, c'est tromper ? Eh bien, la réponse est carrément non. Pour la grande majorité. Je crois que c'est bien que tu le saches. C'est bien que tu en sois conscient, non ?

— Les gens veulent se donner une marge. Les humains sont une espèce intelligente, idéalement conçue pour vivre en société. Bien sûr que si, c'est tromper. Évidemment, c'est tromper, mais pas davantage que certains effleurements, certains regards qui pourraient bien être pires encore.

— Je sais que tu as décidé de me rendre folle. Alors sache-le : que tu me refuses une chose que tu accordes à la première pétasse venue me fait le plus grand bien, me ravit. Mille mercis. Merci mille fois.

— Oh écoute, nous n'imaginions pas devenir ce que nous sommes devenus. Ne tombons pas plus bas, si possible, faisons au moins cet effort. Je n'ai pas besoin de faire appel à mes souvenirs, en ce qui te concerne. Tu es toujours dans mon cœur, sois rassurée sur ce point. Alors cessons de nous torturer avec ça, veux-tu, cessons de nous infliger de toujours plus cuisantes brûlures, si ça ne te fait rien. Nous ne devons pas le faire, un point c'est tout. Mais toi, sache à ton tour, au cas assez improbable où tu ne le saurais pas, que j'ai payé ma part en termes de douche froide et au moins autant en termes de masturbation. »

Elle se pencha et m'embrassa sur le front. « Dors bien, dit-elle. Tâchons de ne pas nous faire de mal. Merci pour la cigarette.

— Tu es toujours super bandante, ma chérie. Merci pour ta visite », fis-je en lui caressant les fesses à travers le tissu éponge.

☛ « Elle est en train de semer le chaos parmi nous, déclara tranquillement Anne en examinant la couleur de son thé. Intentionnellement, j'entends. Encore une fois, vous ne voyez donc rien? »

Il sortait d'un court mais sombre échange avec Michel à propos de son comportement de la veille et il se contenta de hausser les épaules. Il était encore si perturbé par leur accrochage qu'il ne prêta guère d'attention à ce qu'Anne disait, à ce que cela signifiait, à la clarté de cette vision — qu'il avait déjà, de fait, intégrée, estimée possible, mais dont il avait oublié la pertinence et qui finissait par s'enfouir dans les couches profondes de son esprit et qu'il n'entendait plus, au bout du compte.

Ils avaient failli s'affronter physiquement, Michel et lui, aussi extravagante soit cette éventualité, mais il y avait eu cet instant de noir ou de blanc total à la faveur duquel tout aurait pu arriver — et de cette évidence-là, il avait une conscience aiguë.

Cela ne s'était encore jamais produit. Ils n'étaient jamais arrivés à ce point de rupture — ils en étaient restés loin, quoi qu'on pût en penser. Et voilà qu'ils étaient prêts à s'étriper tout à coup au sujet de cette fille comme au temps des cavernes. Et c'était si affligeant, pensait-il, c'était si en deçà de ce que l'on était en droit d'espérer d'êtres civilisés, c'était si désolant.

Leur échange s'était déroulé dans l'ascenseur, si bien qu'il était tentant de convoquer le confinement du lieu, tout en velours et miroir, pour expliquer l'explosion des tensions, l'exacerbation des humeurs dont la cabine avait été le décor le temps de quelques étages.

Gloria était un sujet trop sensible, il fallait s'y résoudre. Il s'arrêta un instant sur cet autre visage d'eux-mêmes qu'ils avaient découvert et il en ressortit avec un sentiment de solitude accrue, de vide prononcé. Le ciel plombé, au-dessus de l'océan, était veiné de rose dragée. Il était désolé de la tournure que prenaient les évènements, et aussi pour le deuil, l'inassouvissement, la désagrégation qui rôdaient.

Ils ne mirent pas les deux femmes au courant des mots durs qu'ils avaient échangés et ils s'évitèrent jusqu'au soir. Dans l'après-midi, ils s'étaient involontairement croisés dans les vestiaires de la piscine, mais ils n'avaient pas desserré les dents bien qu'ils se trouvassent nus comme au premier jour, l'un devant l'autre — aussi fiers, têtus, blessés l'un que l'autre.

À une autre époque, ils se seraient claqué les fesses à coups de serviette, auraient échangé leurs savons, ils ne se seraient rien caché de leurs soucis, mais ils n'en étaient plus là. Ils ne s'étaient plus adressé la parole depuis qu'ils avaient mis un pied hors de l'ascenseur, la mine sombre, les mâchoires tendues.

Personne n'était heureux de se faire traiter de vieux connard égocentrique ou de petit conservateur de merde — autant de poignées de terre noire jetées à la figure de l'autre —, mais le soir venu, à table, ils se tinrent tranquilles et s'employèrent à donner le change avec cet art consommé de la mise en scène et de la duperie qui avait été leur carte maîtresse, autrefois.

En fin de soirée, au bar, un autre couple se mêla vaguement à eux, un homme chauve, la trentaine, et sa femme, une jeune brune anorexique qui ressemblait à ce mannequin dont on avait beaucoup parlé, qui avait des bras et des jambes de la taille d'allumettes.

Gloria les trouva aussitôt sympathiques. Au point qu'elle termina son verre à leur table, s'esclaffant et riant à tout propos, soudain aussi gaie qu'un pinson. Elle ne lâchait donc jamais prise ? Personnellement, Marc ne voyait pas d'inconvénient à ce qu'elle s'amuse un peu, et par là, il entendait même la partie sexuelle de l'amusement, ça lui était égal, ce côté de la vie de Gloria ne l'intéressait pas, n'avait pas d'existence à ses yeux.

Michel ne semblait pas partager son avis. Il n'appréciait pas qu'elle puisse leur préférer la compagnie des deux autres et s'agitait sur son siège comme s'il était assis sur des fourmis.

« Je trouve ça d'une incroyable impolitesse vis-à-vis de nous, déclara-t-il.

— Ils ont l'air bien plus amusants à l'autre table, fit Anne. Je la comprends.

— Le problème n'est pas là. Et toi, dit-il en s'adressant à Marc, là, ça ne te fait rien, tu ne réagis pas ?

— Je ne me sens pas la fibre autoritaire, ce soir, soupira Marc. Désolé. »

Voyant que Michel bouillait, il commanda des rafraîchissements à base de Tanqueray qui arrivèrent au moment où Gloria et ses nouveaux compagnons se levaient et se dirigeaient vers la sortie en leur adressant quelques sourires et quelques signes d'au revoir amicaux.

Michel se redressa dans son fauteuil puis s'y laissa choir de nouveau.

« J'hallucine, fit-il dans un ricanement en fixant Marc droit dans les yeux. J'hallucine.

— À quoi fais-tu allusion ? s'enquit Anne.

— Reste en dehors de ça, s'il te plaît, répondit-il sans quitter Marc du regard. Tu m'entends, j'hallucine.

— Excuse-moi, revint-elle à la charge, mais j'estime être en droit de participer à la conversation. Simple question de politesse, comme tu le disais. »

Il se tourna brusquement sur elle et resta une seconde interdit. « Quoi ? » Il se reprit : « Elle nous a plantés comme des malpropres et ça ne vous fait rien ? Alors tout est parfait. Mais c'est un tout. Ce n'est pas ça, plus ça, plus ça. C'est un tout. »

Il termina son verre, se leva et se dirigea vers la sortie d'un pas hésitant.

À son tour, Anne se tourna vers Marc. « Est-ce qu'il nous plante comme des malpropres ? »

Le lendemain, un sombre suçon dans le cou de Gloria fit planer une ambiance délétère qui les accompagna durant tout le retour.

Il pouvait se féliciter qu'Anne soit du voyage et de posséder une voiture spacieuse, pleine de technologie, aussi facile qu'un jeu d'enfant à conduire, et souple, silencieuse. Mais pour le reste, Gloria dormait et Michel s'était enfermé dans un silence farouche.

« Heureusement que tu es là, lui déclara-t-il tandis qu'elle revenait de la station-service, dans la nuit bleue, avec des cafés. Tu parles de compagnons de route. » Comme toujours, le café n'était pas fameux et trop brûlant.

À l'aube, il les déposa devant chez eux. Michel descendit sans un mot, récupéra leurs valises dans le coffre tandis qu'Anne se penchait vers Marc et profitait de la pénombre pour échanger un peu de salive avec lui — sans qu'il n'y vît de véritable entorse à leur terrible résolution. Sucer impliquait bien davantage, selon lui, et avait de fortes chances de contrevenir à la charte de bonne conduite qu'ils avaient érigée entre eux. Mais ils n'en étaient pas là, ils tenaient bon, contre vents et marées, même s'il pensait parfois que ces exigences étaient stupides et que la vie n'était pas sans fin.

Puis il se gara devant la maison et réveilla Gloria — après avoir coupé le contact et ouvert de son côté, et mis un pied dehors pour écouter le silence, le cri des corbeaux, celui d'un jeune coucou, le grincement d'une girouette, le sifflement du temps qui s'écoule, et avoir livré son visage à la caresse matinale, à la première odeur, au premier tiédissement. Déjà, le soleil se glissait à travers les taillis jaune pâle et frémissait avec la rosée qui luisait dans l'herbe haute — il avait horreur du gazon — dont les pointes touchaient presque une fine langue de brume flottant à hauteur des genoux.

Céleste, une femme d'une cinquantaine d'années, aux épaules solides et qui s'occupait de la maison deux fois par semaine — il ne salissait plus grand-chose depuis qu'Élisabeth avait pris ses distances —, avait rempli le frigidaire selon ses instructions et il se fit des œufs au bacon et brancha la machine à café et sortit un pain de mie bio longue conservation et en toasta quelques tranches.

« Je suis invitée ? demanda Gloria.

— Bien sûr, répondit-il. Peu de gens sont capables de résister à l'odeur des œufs au bacon. Assieds-toi. As-tu goûté à ce calme, à ce silence ? C'est miraculeux, non, je n'exagère pas. Et regarde de ce côté, tu ne vois rien, pas une maison, pas une seule trace de la main de l'homme, c'est magnifique. Et là, tu ne vas pas me dire le contraire, je sais qu'Alex aimait ça, je sais qu'il aimait la nature et les chemises à carreaux et qu'une simple paire de Timberland suffisait à le rendre heureux. Je ne partageais pas ses goûts vestimentaires, bien entendu, mais nous étions sur la même longueur d'onde pour pas mal de choses.

— Me raconter des blagues, à moi, ne sert strictement à rien. Vous n'étiez jamais là.

— Je sortais, mais j'étais là. J'espère que tu saisis la nuance. J'ai été un père célibataire durant cinq ans. Je crois que ça ne m'a pas aidé.

— Ne me faites pas rigoler. N'essayez pas de vous défiler.

— Très bien, je n'étais pas là, j'étais absent. Est-ce

que j'étais censé m'en rendre compte, à l'époque? Est-ce une obligation d'être clairvoyant?

— Attention, mes œufs », fit-elle en indiquant la poêle à frire d'un coup de menton.

Il les retira. Une seconde de plus et l'affaire était cuite.

Ils s'installèrent dans le salon que baignaient déjà les délicates couleurs de l'aube — aux portes de l'hiver. De la fin de l'automne au début du printemps, une année il avait nourri un couple de renards qui descendait vers la ville pour chercher sa pitance, avec des croquettes pour chien qu'il mélangeait à du bouillon de poule.

« Ils ne vont pas tarder. Dès qu'il va faire un peu plus froid. Tu vas les voir arriver. Faire leurs allers et retours devant la baie. Les croquettes sont prêtes. »

Ils mangèrent tous les deux en silence. Puis elle s'étira.

« Je n'en reviens toujours pas, à quel point il l'a mal pris. Je suis restée scotchée.

— Je te l'ai dit, il reste très attaché à certaines valeurs. C'est son droit. De même qu'il est préoccupé par certains problèmes spécifiquement masculins qui ne lui rendent pas justice. Oh, je peux le dire aujourd'hui, j'ai travaillé durant des années sous ses instructions, nous avons accompli un bon nombre de missions ensemble et jamais, tu m'entends, jamais je ne l'ai vu perdre le contrôle de lui-même, jamais je ne l'ai vu réagir de façon épidermique. Je t'avoue que j'ai un peu de mal à le reconnaître. Mais si l'amitié n'arme pas de patience, qui s'en chargera ? » Il fit tourner un reste de café dans sa tasse et l'avala d'un trait. « Reconnais, reprit-il, que tu n'as pas ton pareil pour le provoquer, n'est-ce pas. Peu d'hommes pourraient résister longtemps à tes arguments. Tiens compte de ça. Ne va pas t'exhiber sous son nez et venir ensuite me dire qu'il te regarde d'une drôle de manière, pour reprendre tes mots. D'accord ? Est-ce que tu peux faire ça ? »

☛ Elle avait été tellement battue qu'elle était méconnaissable, me dit-on, et aussi qu'elle était dans le coma. Je voulus la voir mais on me refusa l'entrée de sa chambre. Je bousculai le jeune agent qui se tenait à l'entrée et pénétrai de force pour tomber devant le plus abominable spectacle qu'il m'eût été donné de voir au cours de mon existence : un visage si tuméfié, si abîmé que je n'eus aucune réaction lorsqu'on me maîtrisa d'une clé de bras dans le dos — puis ensuite me gratifia d'une paire de gifles pour m'aider à retrouver mon souffle.

Je sortis de l'hôpital en reculant, avec la nette sensation que les battements de mon cœur n'étaient pas réguliers. Trouver un bar dans les environs ne fut pas simple. Je terminai ma recherche au pas de course et récompensai mes efforts par un double brandy. Dans les toilettes, au-dessus des lavabos, ma figure grise à l'air terrifié faisait peur. Je m'aspergeai d'eau froide, me mouchai plusieurs fois.

☛ Elle avait disparu depuis trois jours. Quarante-huit heures après qu'ils furent rentrés de leur week-end au bord de l'océan, elle était partie chercher du petit bois pour allumer un feu au moment où Marc s'apprêtait à sortir, ayant eu vent d'une soirée que donnait un créateur de mode qui avait raflé le prix Vogue au début des années 2000 — et qui lui avait acheté l'une des quatorze stations du Christ qu'il avait réalisées dans une résine vieillissant très mal d'après ses informations. Il comptait en profiter pour régler cette malheureuse histoire et il eut subitement l'idée et l'envie de proposer à Gloria une sortie à deux maintenant qu'ils se connaissaient mieux et ne se seraient plus risqués à s'imposer quoi que ce soit d'un côté ou de l'autre. Il descendit au salon, pensant la retrouver devant un feu ou soufflant sur la cinquantième feuille de journal sans obtenir de résultat majeur, mais elle n'était pas encore revenue, semblait-il.

Il entrouvrit la baie et mit un pied dehors. C'était l'heure où la lumière baissait. Il inspecta les environs, mais il ne vit personne. Il l'appela. Une fois. Deux fois. Rien. Il rentra. Il alluma la télé et fit défiler des chaînes, mais son esprit était ailleurs. Il se résolut à l'appeler mais son téléphone sonna et vibra et s'alluma sur la table basse. Il semblait qu'à chaque minute la lumière baissait un peu plus. Il retourna dans la cuisine et s'empara de la lampe-torche. Il enfila un blouson et sortit et commença à battre la campagne, à quadriller tout le secteur en évitant de traverser les propriétés des voisins d'où pouvait toujours venir un coup de fusil ou jaillir un de ces fauves malfaisants équipés de crocs, et il tourna ainsi durant une heure, sans comprendre où elle avait bien pu passer.

Il interrompit ses recherches à la nuit noire. Il rentra et resta assis encore une heure, sans bouger, son téléphone à la main. Puis il appela la police pour signaler la disparition de Gloria qu'il présenta comme sa belle-fille. On lui conseilla de rester chez lui pour le moment, au cas où la jeune femme se manifesterait d'une façon ou d'une autre.

À l'aube, il était chez Michel qui était déjà debout, victime d'insomnies qui duraient depuis quelques jours en raison de certaines contrariétés, mais il l'arrêta tout net et le mit au courant de ce qui arrivait.

Michel resta un instant bouche ouverte. Puis il décrocha sa veste et déclara qu'il partait aussitôt à sa recherche. « Calme-toi, lui demanda Marc en le faisant asseoir. Inutile de faire n'importe quoi.

— Tu veux dire qu'elle a passé la nuit dehors, par le froid qu'il fait ? »

Marc hocha la tête. C'était bien ce qu'il voulait dire. L'été était loin. Les nuits d'été n'étaient plus qu'un vague souvenir. Celles de décembre étaient longues, humides et froides. Et même si l'on était d'un optimisme à toute épreuve, on pouvait commencer à s'inquiéter et prendre l'affaire très au sérieux quand une jeune femme ne rentrait pas de la nuit aux alentours de Noël, aux premières gelées. Voilà exactement ce qu'il voulait dire.

☛ À la fin de la journée il n'y avait rien, on ne savait rien. J'avais laissé Michel et Anne légèrement abasourdis et j'étais allé directement à l'atelier en pensant que travailler était ce que j'avais de mieux à faire mais ça ne me libéra pas l'esprit pour autant et je faillis me blesser avec un tournevis, totalement absent à ce que je faisais. Je ne répondais pas au téléphone mais je regardais qui appelait en espérant que la police me contactait enfin, mais c'était Michel, la plupart du temps — je lui renvoyais juste le même mot : *nada*. J'étais extrêmement inquiet. J'avais une terrible boule au creux de l'estomac et me sentais vaguement nauséeux.

Je rentrai tôt, en contournant le centre-ville menacé d'embolie, et trouvai deux inspecteurs garés devant chez moi. Je leur donnai toutes les explications qu'ils souhaitaient et les accompagnai dans la chambre de Gloria qu'ils fouillèrent sans entrain excessif. Avant de prendre congé, l'un des deux me laissa entendre qu'il n'aimait pas ça, qu'il partageait mes craintes. « Elle n'a rien emporté, et ça ne me plaît pas. Parce que ça veut dire quoi ? Premièrement, qu'elle n'est pas partie en voyage. Deuxièmement, qu'elle n'avait rien prémédité.

— Comme je l'ai dit, inspecteur, elle était allée chercher du petit bois. C'est tout. J'ai peur qu'elle n'ait fait une mauvaise rencontre.

— Oui, moi aussi. Vous voulez mon sentiment ? Un type s'est arrêté et l'a embarquée dans sa voiture, terminé ! Quelque chose dans ce genre-là, je vous parie tout ce que vous voulez. »

Je levai les yeux en direction du ciel qui s'étirait vers le crépuscule en un long cortège de nuages blancs, véloces. Puis j'entendis leur véhicule démarrer.

Je restai assis dans le jardin jusqu'à ce que la nuit tombe. Je ne savais pas très bien comment appréhender ce nouveau coup du sort. Étais-je vacciné ? Ou était-ce la maison de repos qui m'attendait ? Après le départ de Julia, la mort d'Alex, la désertion d'Élisabeth, devais-je m'attendre à d'autres défections autour de moi ? Était-ce le destin qui m'était réservé ? Je grimaçai lorsque je commençai à entrevoir un enchaînement à toutes ces épreuves, à remarquer certaines concordances, et m'empressai d'aller me servir un verre avant de filer au Brunswig.

Je n'avais pas la prétention de saisir très clairement les raisons pour lesquelles les générations qui suivaient la mienne désespéraient à ce point de leur héritage, mais ils avaient cette façon de se saouler à toute allure aujourd'hui qui me semblait être une réponse adaptée au contexte et que chacun, jeune ou vieux, pouvait utiliser pour éviter le maximum de casse dans sa porcelaine intérieure.

Je pris une bouteille et m'assis résolument à une table jusqu'au moment où, un peu plus tard, se posa sur mon bras — et j'en aurais pleuré de souffrance et de joie, comme si j'avais franchi l'arrivée d'une course interminable — la main de cette femme que j'avais tenue dans mes bras quelques jours plus tôt, cette rousse admirable.

Je lui embrassai passionnément les mains.

« Mais qu'est-ce qui vous prend ? » fit-elle au bout d'un moment, mi-intriguée, mi-amusée.

Je levai de nouveau les yeux sur elle, ne cherchant même pas à dissimuler l'éblouissement qui devait me transformer en parfait idiot, mais à cet instant, pour quelque raison inexplicable, elle était comme une apparition, comme une fée sortie de la flamme qui vacillait sur la table dans son photophore de bambou, elle était très exactement ce que je souhaitais qu'elle fût, je ne voulais rien d'autre, je voulais une corde pour m'attacher à elle, je voulais m'enduire de glu et me coller à son corps et me servir d'agrafes et d'aiguilles pour me coudre à sa peau.

Je lui expliquai ce qui n'allait pas, l'inquiétude qui me rongeait, le mauvais pressentiment de la police, mais aussi l'espèce de passage à vide que je connaissais depuis le décès de mon fils. Et profitant de n'avoir toujours pas lâché sa main, j'y appuyai ma joue pour lui redire à quel point j'étais heureux de la retrouver dans ces circonstances, combien elle m'était d'un grand secours à l'heure présente, où je me sentais en manque de tout.

Elle trouva vite une solution à mes besoins immédiats de sexe et de drogue destinés à lutter contre l'angoisse qui me tenaillait, nous accommodant de l'exiguïté des cabinets pour dames après avoir rabattu le couvercle et pris appui dessus, mais elle peina davantage quand il fallut me réconforter et employer les mots appropriés à ma détresse. Elle me proposa, avec la conviction d'avoir une idée lumineuse, de descendre avec elle sur la Riviera pour les fêtes de Noël, où elle possédait une villa avec un accès direct à la plage, mais je me contentai de lui sourire. C'était comme de m'offrir un vieux truc périmé, une vieille potion fade, éventée, qui en tout cas n'avait plus d'effet sur moi.

Au moins, je ne passai pas cette nuit-là à tourner en rond avec le téléphone à la main et nous quittâmes le Brunswig à l'aube, relativement sonnés, éblouis par la lumière du jour. Une nappe de brume flottait au-dessus du parking où nous récupérâmes nos voitures.

Nous traversâmes la ville déserte, lumineuse, fraîche, empruntâmes des voies mortes, silencieuses.

Aussitôt arrivé, j'inspectai rapidement la maison puis revins au salon en secouant la tête. « Rien », fis-je.

Elle grimaça un sourire.

« Je ne connais même pas votre prénom, lui dis-je. C'est insensé.

— Martine.

— Martine ? répliquai-je avec un sursaut incommodé que je transformai vite en mine réjouie, en air accueillant. Je n'ai jamais connu de Martine, figurez-vous. Mais j'aime bien, j'aime beaucoup… Je me demande si ça vous va.

— Moi, je trouve que Marc, ça ne vous va pas du tout.

— Je sais. J'aurais aimé m'appeler Philippe.

— Quoi ? Mais vous êtes fou. Mais quelle horreur. »

La maison était un peu froide car j'avais laissé la fenêtre de ma chambre grande ouverte et il serait dit que je n'allais jamais voir cette femme dans le plus simple appareil car elle garda ses bottes et son col roulé quand nous nous abandonnâmes et laissâmes refroidir cafés et toasts pour nous jeter sur le canapé et prendre davantage de temps cette fois, malgré une petite chair de poule.

Il bruinait depuis un moment lorsque Michel tapa au carreau. Martine s'était endormie dans un fauteuil tandis que je patientais au téléphone, pour parvenir à parler aux inspecteurs chargés des recherches, que l'on eût fini de me transférer de poste en poste. De lumineux, le petit matin était devenu gris, rempli de cette eau pulvérisée qui gouttait des branches, des buissons, et se rassemblait en petites flaques sur la terrasse. Michel portait un duffle-coat que l'humidité avait traversé de part en part et j'allai lui chercher une serviette cependant qu'il essuyait ses lunettes et se penchait sur Martine en fronçant les sourcils.

« Mais c'est qui encore, celle-là ? » demanda-t-il en

me rejoignant. Je lui fis signe de ne pas parler trop fort pour ne pas la réveiller et lui expliquai qu'il s'agissait de cette femme que j'avais rencontrée chez Géraldine et Roger.

« Et tu fais quoi, là ? m'interrogea-t-il. Tu la baises ? Alors qu'Anne et moi nous nous morfondons d'inquiétude, c'est tout ce que tu trouves à faire ? Tu baises ? »

Il me prit la serviette des mains pour se frictionner la tête. J'étais étonné du ton qu'il employait avec moi depuis quelque temps, comme s'il avait quelque chose à me reprocher, dont il ne voulait pas me parler.

« Je ne sais pas comment tu fais, poursuivit-il. Tu as une telle carapace. Tu l'as toujours eue, je suis d'accord, mais elle s'est épaissie en vieillissant. Tu serais devenu excellent si tu avais continué. Une pure mécanique. »

Je n'étais pas sûr de le suivre sur ce thème. Je n'avais pas le sentiment d'être devenu plus résistant mais plus fragile au contraire. Dieu savait les cris, les horreurs que j'aurais été capable de ressasser tout au long de la nuit si Martine ne m'en avait pas tenu à l'écart. Il oubliait que je n'avais personne, contrairement à lui, sur qui me reposer.

Je le fis asseoir, néanmoins, quand je compris qu'il avait erré toute la nuit dans les environs à la recherche de Gloria.

« Je crois que tu en fais trop, dis-je.

— Non, je n'en fais pas trop. Ne me dis pas que j'en fais trop. S'il te plaît. »

Il semblait effectivement bouleversé et c'était à mon tour d'observer les changements intervenus chez lui après toutes ces années. Nous étions partis dans des directions différentes. Michel était devenu nettement plus sentimental, nettement plus épidermique. Si je m'étais endurci, ainsi qu'il le prétendait, il avait pris quant à lui le chemin inverse et seule sa sincérité permettait de ne pas le trouver grotesque lorsqu'il se lançait dans une opération du genre de celle qui l'avait mené jusqu'ici, au terme d'une traque hallucinante et vaine étalée sur toute la nuit.

Il retourna voir Martine, et se pencha au-dessus d'elle pendant que je lui préparais un grog. Je me demandais parfois s'il était réellement sain d'esprit. Durant de longues années, j'avais juste estimé qu'il était assez bizarre quelquefois, mais aujourd'hui, cela semblait un peu plus sérieux. L'invraisemblable équipée nocturne qu'il venait de s'infliger en témoignait.

« Une admiratrice ? » demanda-t-il. Je hochai vaguement la tête en lui proposant un bol de muesli. Dehors, la pluie s'épaississait doucement, le jour peinait à se lever et pesait comme une chape. « Dans une autre vie, déclara-t-il en secouant la tête, je choisirai d'être un artiste. Non, vraiment. C'est le job idéal. » Je le servis. « D'un autre côté, fis-je, c'est un métier à risques. La carrière est semée d'embûches. »

Anne m'appela tandis qu'il se découvrait affamé et inspectait mes placards. Elle se faisait du mauvais sang à son sujet car il semblait particulièrement bouleversé par la disparition de Gloria.

« Dis-lui de répondre à son putain de téléphone, fit-elle entre ses dents. C'est tout ce que je lui demande. Qu'il me dise où il est et s'il va bien. C'est tout.

— Il est en train de manger, ne quitte pas.

— Non, ça va bien, maintenant.

— Vous prenez du speed en ce moment, toi et lui ?

— Non, trois fois rien, c'est juste que... C'est juste que...

— Écoute, ça ne fait rien. Peut-être que c'est moi, peut-être que je porte une espèce de carapace.

— Oh, ça ne t'avait pas encore effleuré ? »

Je lui promis de mettre Michel dans un taxi et de les tenir aussitôt informés de la moindre nouvelle que l'on me communiquerait, puis je retournai près de lui et préparai des grogs, à titre préventif. La pluie tombait largement, à présent, et j'espérais que Gloria était à l'abri de ce temps d'une manière ou d'une autre.

« Je ne peux pas croire qu'il lui soit arrivé quelque chose », fit-il en regardant dans le vague puis en finissant par poser les yeux sur Martine qui venait, dans son sommeil, de faire glisser le plaid qui lui couvrait les jambes qu'elle avait encore nues — et joliment faites, si l'on pouvait encore tenir ce genre de propos sexistes.

☛ Le doute ne s'imposa pas tout à coup, ni franchement. Il s'insinua. Puis Marc se réveilla un matin

— trois jours précisément après que l'on eut retrouvé Gloria, laissée pour morte au bord du fleuve — avec l'image de Michel collée devant lui. Une image qui semblait prendre feu. Si aveuglante qu'elle laissait un goût étrange dans la bouche, de métal ferreux. Le plus surprenant étant qu'il ne parvenait pas à s'en débarrasser.

Gloria n'était toujours pas sortie du coma et cette image aussi le poursuivait et elle finit par se juxtaposer à celle de Michel dans le courant de l'après-midi tandis qu'il effectuait une soudure à l'arc, grimaçant derrière son masque — la lumière éclatait, étincelait autour de lui. Mais rien de très net cependant, une simple association gênante, largement incompréhensible.

Il travailla tard puis rentra directement et se servit un grand verre d'alcool. Il alluma un feu et se laissa glisser, flotter, descendre. Il n'y avait pas d'autre signe de vie dans cette maison que les craquements du bois dans le souffle des flammes. Il ricana. Au bout du compte, la réussite n'était pas flagrante, songeait-il. Le bilan était réservé. Pour ce qui concernait l'épisode Gloria, le bilan était sans nul doute des plus maigres.

L'agression dont elle avait été victime devenait le nouveau point d'orgue de cette triste aventure qu'il poursuivait au milieu des siens et qui ne portait pas bonheur aux plus jeunes. Sans doute était-il un peu tard pour s'en inquiéter. Sans doute était-il également un peu dur de constater que cet immense chemin que l'on croyait avoir parcouru se réduisait à la taille d'un timbre-poste. Le découragement pouvait gagner.

Un peu avant minuit, il rouvrit un œil et constata que d'aimables braises rougeoyaient encore — qu'il ne s'agissait pas de rats aux yeux rouges. Il but quelques gorgées directement à la bouteille qu'il tenait toujours à la main car l'image de Michel occupait tout son esprit et il tâchait ainsi de l'effacer. Sans résultat. Elle semblait incrustée. Par chance, d'implacables arguments plaidaient en sa faveur, ils étaient innombrables, ils le disculpaient totalement. Même si les évènements récents semaient un léger trouble quand on songeait à l'intérêt fiévreux qu'il portait à Gloria, aux rebuffades qu'il essuyait en retour. Au sentiment qu'il devait nourrir.

Durant sa déposition, Anne avait déclaré qu'à l'heure de l'agression de Gloria, Michel dormait à ses côtés — tandis qu'elle-même, en parfaite insomniaque, n'avait pas fermé l'œil cette nuit-là. Ainsi, l'affaire était réglée. Il y avait suffisamment de fous furieux en liberté pour prendre le relais. Du tapis, il parvint à se hisser sur le canapé et il resta un moment à observer le ciel étoilé en affichant un air absent, proche du K.-O. technique.

Puis il se redressa d'un bond et marcha vers la sortie. L'air frais le transporta. Il s'installa au volant de sa voiture et descendit en ville sans provoquer d'accident ni commettre d'infraction majeure. De toute sa vie, il n'avait jamais eu le moindre accrochage, même lorsque sa vision se brouillait, même si sa notion des distances était absolument faussée, même s'il lui arrivait de rouler un peu sur le trottoir — et la plupart du temps, lorsqu'ils étaient en mission, c'était lui qui conduisait, lui qui était chargé de ramener les autres en lieu sûr, à travers vents et marées, non qu'il se révélât un chauffeur hors pair mais il avait une chance phénoménale en matière de conduite et il s'en était parfois fallu d'un cheveu.

Il était tard. Mais pour Anne, tard ne voulait rien dire. Elle lui ouvrit, vêtue d'un short et d'un maillot, couverte de sueur.

« Je me suis fait livrer un elliptique, expliqua-t-elle en s'épongeant le cou. J'ai besoin de me dépenser, d'actionner une soupape de sécurité. Au train où vont les choses. »

Marc s'arrêta devant l'engin qui faisait face à la baie comme s'il se trouvait devant une soucoupe volante. « Ce truc est d'une laideur peu commune », déclara-t-il avant de se diriger vers le balcon d'un pas incertain. De l'air frais. Il remonta la fermeture de son blouson jusqu'à son cou, enfonça ses poings dans ses poches et s'adossa au mur en fermant les yeux dans la nuit froide. Respirer.

Anne réapparut en peignoir de bain, une serviette dans les cheveux. Elle lui tendit une cigarette.

« Tu as du nouveau ? »

Il secoua la tête. « Michel n'est pas là ? »

Elle baissa les yeux. « Il est allé faire un tour. »

Il secoua longuement la tête.

Elle ne savait pas où il était allé.

« La maison était un peu vide », grimaça-t-il.

Elle opina et lui posa une main sur l'épaule. « Bien sûr. » Sa main était glacée.

« Anne, soupira-t-il, est-ce qu'il y a quelque chose que je devrais savoir ? »

Autrefois, dans le cadre de leurs sombres activités, ils se faisaient une confiance absolue et ce degré de confiance faisait leur force. Il l'observa du coin de l'œil. Avec beaucoup d'attention. Son émoi, sa protestation de transparence et son air indigné, blessé. Elle ne répondit pas mais au moins, à présent, il avait acquis la certitude qu'elle cachait quelque chose.

« Des nouvelles de l'hôpital ? » demanda-t-elle.

Il mit quelques secondes à comprendre qu'elle s'adressait à lui. « Non. Le viol est confirmé. Pour le reste, il faut attendre les résultats du labo. » Une nouvelle fois, il guetta ses réactions mais Anne savait encore brouiller les pistes et elle ne lâcha rien.

« Tu es monstrueux, fit-elle au bout d'un moment. Je croyais que Michel était ton meilleur ami. Que cette pensée ait pu t'effleurer, quelle tristesse, quelle trahison. »

Il baissa la tête car elle n'avait pas tout à fait tort. D'où lui serait venu ce sentiment de honte, sinon ?

Il se laissa choir sur une chaise longue terriblement confortable et demeura un moment la tête penchée vers ses pieds.

« Je n'y arrive pas », fit-il avec un air vaincu et, protégé par la pénombre, rougissant de sa propre laideur.

☛ L'agresseur de Gloria ne s'était pas contenté de la violer, il l'avait également battue à mort et Michel ne pouvait pas être cet homme-là. Sans doute le temps n'arrangeait-il pas les choses, sans doute l'âge rendait-il plus grincheux, plus soupe au lait, mais Michel ne s'était pas transformé en bête sauvage passé la cinquantaine, d'un homme il n'était pas devenu l'épouvantable grimace. Marc et lui se connaissaient depuis trente ans. Il avait en outre maintes fois été salué pour son sang-froid et n'avait jamais utilisé la force autrement qu'en dernier recours, jamais perdu le contrôle de ses nerfs devant un sujet récalcitrant — et jamais mordu personne, Seigneur Jésus, jamais ça, or, comme on venait d'en informer Marc, Gloria portait des traces de morsures sur tout le corps, de la chair avait été arrachée par bouchées, lui avait-on précisé. Il était assez tôt dans la matinée.

Vers midi, ses certitudes recommencèrent à vaciller. Être incapable de concevoir la culpabilité de Michel, finit-il par comprendre, ne mettait pas celui-ci *automatiquement* hors de cause. La réflexion faisait froid dans le dos, ouvrait des gouffres. Puis, au fur et à mesure, certains éléments sortirent de l'ombre, ressurgirent en pleine lumière, certaines paroles résonnèrent à nouveau, certains regards, certains silences et certains signes convergèrent, certaines actions s'imbriquèrent et certains comportements se révélèrent si édifiants qu'il termina leur sinistre revue en gémissant. Aucun de ces éléments pris séparément ne prouvait quoi que ce soit, mais considérés dans leur ensemble ils étaient durs à ignorer. Malédiction. Il transpira. Une sueur glacée le transperça jusqu'à la moelle.

☛ En affirmant que Michel était dans son lit au moment de l'agression, Anne avait dressé un rempart infranchissable, un mur qui le disculpait totalement — et contre lequel, en première ligne, je venais fatalement me fracasser. Elle s'était toujours conduite en bon petit soldat, avait toujours eu le goût du sacrifice — et aujourd'hui enfin, elle pouvait donner la mesure de son indéfectible engagement envers celui dont elle recevait les ordres dans les années quatre-vingt, et en comparaison coucher avec moi présentait beaucoup moins d'attrait.

« Mais que racontes-tu, me lança-t-elle, espèce d'idiot. Tu oses me dire ça ?

— Oh écoute, peu importe. Où est-il ?

— Tu viens te plaindre de ne pas coucher avec moi ?

— Non, pas du tout.

— Parce que sinon, je vais penser que tu te moques de moi, est-ce que tu me suis ?

— Oui. Tout à fait. »

Je n'étais pas là pour discuter. « Où est-il ? Il faut que je lui parle. »

Elle me tendit un verre. « Est-ce que je peux t'aider ? »

Je secouai la tête.

« Michel est fatigué, fit-elle en me touchant le bras. Toutes ces histoires l'ont perturbé. Il n'est pas ici, il se repose. »

Je la regardai. Si j'avais nourri quelque doute sur le camp qu'elle avait choisi, je n'en avais plus aucun à présent.

« Tu devrais aller la voir. Tu devrais faire cet effort, lui dis-je. Si tu veux, je t'y emmène et nous reprendrons cette conversation ensuite. »

Elle ignora mon invitation. Elle me fixa longuement et me demanda si j'étais sérieux, si je ruminais toujours cette sinistre et lugubre présomption, cette sinistre pensée, si j'étais revenu dans ce but, s'il n'y avait plus rien de sacré à mes yeux. « Je crois qu'ils ont fini par te tordre l'esprit, tu sais, voilà ce que je crois, a-t-elle repris. Tu as l'esprit tordu. En tout cas, cette fille nous a bien eus. » Je l'arrêtai : « S'il te plaît. Arrête. Gloria est dans le coma à l'heure où nous discutons. Je ne crois pas que l'on puisse envier son sort.

— Elle a eu ce qu'elle voulait, elle a atteint son objectif. Vois-tu, ils sont très forts.

— Pardon, mais n'aurais-tu pas un peu de compassion à offrir ? Ça t'étoufferait ? »

Je n'avais pas connu de plus lugubre conversation de toute ma vie. Je sortis m'aérer sur le balcon. Il faisait frais, le soleil brillait timidement dans le ciel blanc qu'occupaient quelques corbeaux au vol taciturne.

J'étais en train de les perdre à leur tour, ces deux-là aussi, mes deux seuls amis, et j'en étais particulièrement effrayé car j'allais me retrouver vraiment seul pour le coup — on aurait dit une sombre prophétie qui se réalisait, une extinction inexorable de la lumière indiquant que la fête était finie et qu'il fallait rentrer chez soi malgré l'obscurité et la pluie froide.

Je renonçai à l'interroger sur l'endroit où Michel soignait sa grande fatigue — autant ne pas perdre son temps — et je repartis sans ajouter un mot. Sans desserrer les dents. Je rentrai chez moi et lançai quelques recherches pendant que je me douchais. J'y passai une partie de l'après-midi puis finis par le localiser car l'animal s'était inscrit dans un centre de remise en forme au cœur des Alpes et l'avait fait sous son véritable nom, en totale insouciance — mais cette absence de précautions était aussi la marque de son arrogance, de la parfaite assurance que l'impunité lui était par avance acquise. Je réservai aussitôt une chambre.

J'arrivai en fin de journée, après des heures de route. Je donnai mes clés et m'élançai vers le bar tandis que l'on s'occupait de mes affaires car ma consommation s'était encore fortement accentuée depuis que j'avais vu Gloria, son visage tuméfié, presque noir, mais je m'étais promis de ne pas boire pendant le trajet et je m'y étais tenu — je ne savais pas très bien où en étaient les points de mon permis, mon instinct me disait de faire attention. Je bus un grand gin-tonic en fermant les yeux.

De ma chambre, je composai le numéro de celle de Michel. Sans résultat. Je restai quelques minutes sur le balcon puis rentrai. Le soir tombait, des nuages filaient vers le crépuscule en vastes troupeaux mordorés. Le ciel s'ouvrait puis se refermait. J'enfilai un peignoir et descendis au spa qui était encore pas mal fréquenté à cette heure.

Mais je ne le trouvai nulle part. Faisant contre mauvaise fortune bon cœur, je décidai de m'offrir un massage californien mais la fille s'endormit littéralement en travers de mon dos, elle s'excusa, elle venait de s'occuper d'une bande de Russes et était à bout de forces. Je lui répondis que les cinq minutes qu'elle m'avait accordées m'avaient amplement suffi et que j'étais très content de ses services. Un instant, je vis passer un éclair de défiance dans son regard. Elle n'était guère plus âgée que Gloria. Elle s'imaginait sans doute que j'allais agiter quelques billets de banque devant son nez ou pire encore.

Je descendis de la table et filai avec ma serviette autour des reins avant d'avoir affaire aux hommes de la sécurité, ou d'être plaqué au sol, sur un carrelage luisant, par des maîtres nageurs bodybuildés appelés à la rescousse. Je me jetai un coup d'œil dans un miroir en passant afin de m'assurer que je n'avais pas pris l'apparence d'un monstre ou de quelque repoussante créature — car c'était bien ainsi que Gloria m'avait vu. De retour dans ma chambre, je restai un moment à regarder les Alpes glisser dans le crépuscule et je me demandais à quel moment ça nous était arrivé — car quant à moi je n'y avais pas fait attention —, à quel moment étions-nous devenus les méchants de l'histoire, à quel moment avions-nous basculé, à quel moment étions-nous devenus un vrai danger pour eux, une calamité, etc.

Je séjournai trois jours entiers dans cet endroit, dans cet hôtel de luxe au pied de la montagne, mais je n'y passai en réalité qu'un court moment car dès le lendemain matin, j'en sortis et ne devais plus y remettre les pieds au cours des prochaines quarante-huit heures.

Le site était magnifique. Montagnes vertes, pics enneigés, petits torrents, gigantesques sapins, poudreuse lumière d'automne. J'étais allé frapper à la porte de Michel et n'ayant obtenu aucune réponse j'étais descendu à l'accueil où j'avais appris qu'il était déjà sorti faire son footing — une douzaine de kilomètres à travers bois, un authentique chemin forestier très prisé par les jeunes décideurs brillantinés et les vieilles crapules à peau blanche.

On m'expliqua qu'il y avait un raccourci grâce auquel je pourrais rattraper mon ami qui n'avait guère qu'une demi-heure d'avance sur moi. Je levai les yeux sur les nuages mais on m'informa obligeamment que la pluie n'était attendue qu'en soirée.

Un peu de marche ne pouvait faire que du bien. Quand on s'adonnait à l'alcool et aux drogues, mieux valait mener une vie saine et surveiller sa santé. Je retournai dans ma chambre pour me changer et passer quelques coups de téléphone — je n'avais pas de réseau. Gloria ne donnait aucun signe de retour à la vie et la police n'avait rien de nouveau à m'apprendre, sinon que l'affaire suivait son cours. J'enfilai un survêtement car il faisait assez frais et j'emportai une bouteille d'eau et une flasque de vieux bourbon pour le cas où il m'arriverait quelque chose — comme d'être poursuivi par un ours ou emporté par une avalanche.

Un instant plus tard je quittai donc l'hôtel et m'engageai dans le fameux raccourci d'un pas hardi. Le sous-bois sentait bon. Le sol était couvert de feuilles mortes. Je marchai un bon moment sur un versant ensoleillé et j'aurais donné tout ce que j'avais pour qu'elle soit là, marchant à mes côtés, mais nous avions échoué sur toute la ligne. Y penser entretenait une sombre rage contre Michel, je ne voulais même pas entendre ce qu'il avait à dire — en admettant qu'il eût quelque chose à dire. J'allais le coincer à la croisée des chemins et je ne savais pas du tout quelle serait ma réaction mais je ne ralentissais pas. Quand soudain, j'entendis le bruissement d'un ruisseau et je restai interdit une minute.

Le ruisseau n'était pas à sa place. J'aurais dû l'avoir dans mon dos et voilà qu'il dévalait sur mon flanc gauche. Je ne comprenais pas très bien ce que j'avais fabriqué jusqu'à ce que je m'aperçoive que j'étais sorti du chemin. Je fis marche arrière. Sans trop d'élan sinon que je décidai de me conformer au plan que j'avais gardé en tête et qui voulait que le ruisseau fût dans mon dos. J'obliquai donc, moyennement convaincu.

J'avalai quelques gorgées de bourbon pour me fouetter le sang et repartis sur les traces de Michel. Quelquefois je glissais et tombais sèchement sur le cul. Le tapis de feuilles n'avait pas pour seul inconvénient de cacher le chemin et rendre le terrain glissant, mais permettait de se prendre les pieds dans une racine ou buter dans un trou et se tordre la cheville. Je n'avais pas été assez vigilant. Je n'avais pas su interpréter les signes qui m'apparaissaient à présent d'une aveuglante évidence. Je n'avais pas accordé à mon fils l'attention nécessaire et bien qu'il fût trop tard pour verser des larmes, il fallait vivre avec ce sentiment d'amertume qui emplissait la bouche, ce sentiment de perte définitive.

☛ Gloria lui avait laissé entendre qu'il était en partie responsable du suicide de son fils et Marc se demanda combien de temps il lui faudrait pour l'admettre.

Vers midi, il n'avait plus aucun repère, ni ruisseau ni rien. C'était un peu agaçant mais il marchait encore à bonne allure et ne perdait nullement espoir de croiser un chemin, ou mieux encore une route ou un camping. La journée était encore lumineuse, les nuages étaient encore loin. Il ne sifflait plus mais le moral était bon. Certes, il était perdu, mais c'était si absurde qu'il valait mieux en rire. En tout cas, sa fureur contre Michel demeurait intacte et la situation dans laquelle il se trouvait à présent la rendait incandescente.

Le soleil était encore haut lorsqu'il entendit le souffle lointain, la faible rumeur de quelque chose comme une autoroute, enfin, mais celle-ci filait à une cinquantaine de mètres au-dessus de sa tête — une sorte de viaduc pour autant qu'il s'y connaissait. Il examina l'édifice en grimaçant, soupira, puis décida de la suivre en prenant à gauche après avoir bu quelques gorgées d'eau — on entendait un cri d'oiseau étrange en provenance du sous-bois tandis que le grondement sourd d'un camion s'éloignait dans le lointain, que passait un avion de chasse.

Il pouvait se reprocher de ne pas avoir armé son fils, de ne pas l'avoir rendu assez fort, mais lui-même était-il suffisamment armé à l'époque où Alex avait eu besoin de lui? Était-il en état d'enseigner quoi que ce soit quand il ne savait rien, quand il se saoulait, quand il se défonçait, quand il cherchait il ne savait quoi dans l'obscurité, quand il était en mission, quand sa vie sentimentale était un triste chaos, quand le monde était un bien plus triste chaos encore et les soirées toutes plus géniales les unes que les autres, quand il gagnait si facilement sa vie...?

Combien arrivaient intacts de l'autre côté, combien parvenaient à cocher toutes les cases, combien choisissaient le chemin le plus honorable, combien choisissaient la voie du sacrifice?

Il était si absorbé dans ses pensées qu'il se trouva

tout à coup devant un petit lac de montagne. L'autoroute l'enjambait dans les airs pour rejoindre la rive opposée qui se dressait comme une muraille de verdure. Il s'arrêta un instant pour observer le chatoiement des dorures à la surface de l'eau. Il ne fallait plus trop traîner, maintenant. Il allait prendre son souffle et remonter vers cette fichue autoroute et arrêter le premier véhicule qui passerait, dût-il se planter au milieu des voies, bras écartés. Il s'accorda cinq minutes de pause avant de franchir le petit cours d'eau qui l'alimentait et qu'il traversa en roulant son pantalon jusqu'à mi-mollet — ce qui ne lui posa pas d'autre souci que de connaître le désagrément d'ôter ses chaussures et ses chaussettes pour marcher dans l'eau glacée et de les remettre. Il avala quelques solides rasades d'alcool en prévision, d'autant que le ciel se couvrait.

☛ Michel devait être rentré à l'hôtel depuis longtemps. Je l'imaginais seul dans sa chambre et je me demandais dans quel état d'âme il se trouvait. J'aurais dû le savoir, moi qui prétendais le connaître mieux que moi-même, moi qui lui aurais confié ma vie sans hésiter, mais j'étais à présent obligé d'en rabattre — il serait dit que les deux hommes qui m'avaient semblé les plus proches deviendraient ceux que j'avais le plus mal connus. Je me déchaussai. Je calculai qu'il me restait une bonne heure de jour et continuai à me montrer optimiste car les lourds nuages noirs, gonflés d'orage et de pluie, restaient stationnés à l'horizon, immobiles.

Le lit était constitué de pierres, de galets arrondis, instables et glissants. Je me méfiais, je ne tenais pas à poursuivre ma route complètement trempé. J'avançais avec prudence, concentré sur chaque pas, lorsque j'entendis un coup de feu. Je tournai la tête. Le lac, la frange de sapins, le ciel blanc et soudain le galop d'un animal — un daim ! — éclaboussant tout sur son passage et bondissant littéralement au-dessus de moi. J'en tombai à la renverse et m'assommai sur la première pierre qui croisait mon chemin.

Je ne repris connaissance qu'aux aurores, tremblant de froid. Et pour cause. Je n'avais plus un poil de sec et l'aube était tendue, lumineuse et piquante. Je refermai un instant les yeux et les rouvris mais je ne songeais pas encore à bouger — comme si je craignais de déclencher une de ces fulgurantes douleurs qui m'avertirait d'un sérieux problème, d'une probable casse de matériel. J'étais allongé sur des pierres entre lesquelles glougloutaient quelques centimètres d'eau claire, argentée. Au-dessus de moi, à une hauteur impressionnante, presque enfouie dans la brume, l'autoroute traversait le ciel, et les structures qui la soutenaient — un arc métallique sous-tendu par un faisceau de câbles que l'air faisait vibrer — accentuaient cette impression de légèreté aérienne qu'elle me communiquait dans la position où je me trouvais.

Le silence était éblouissant, le moindre son transformé en cristal ou devenu si clair que j'entendais une libellule voler sur place au-dessus de mon ventre — un son comparable à de la soie froissée. Un large ruban de brume flottait au-dessus de l'eau. Je me redressai, encore étourdi. Je me passai la main derrière la tête et la retirai pleine de sang. C'était réussi. Physiquement je n'étais pas encore très vaillant, mais en revanche mon esprit était clair, je savais exactement où j'étais et ce que je faisais là, je savais qu'un daim avait bondi au-dessus de moi et que je m'étais assommé.

Je tremblais, mais difficile de dire de quoi au juste. J'avais hâte de sentir un peu de chaleur et je fixais l'horizon d'où débouleraient les tièdes effluves de la matinée qui me feraient cesser de claquer des dents.

Avec cette lumière, cette brume, cette forte odeur de terre, le décor devenait surnaturel, à la fois tendre, beau et menaçant. Tout était immobile et calme. Puis je clignai des yeux et observai une forme sombre sur le lac, et de cette forme partaient des lignes noires qui ridaient la surface et indiquaient que la chose — que j'avais prise pour une sorte de tronc d'arbre flottant, muni d'une touffe de branches — s'était mise en mouvement, et je m'aperçus seulement alors qu'il s'agissait du daim, qu'il était donc revenu, et ma première réaction fut de sourire, comme s'il était revenu pour moi, pour me tenir compagnie. Je ne lui en voulais pas de m'avoir renversé. Je le regardais glisser en silence à la surface — on ne voyait pas ses pattes — et me laissais séduire par la grâce et la majesté de la scène, quand brusquement je me remémorai la détonation que j'avais entendue avant de le voir surgir au-dessus de moi, et aussitôt j'inspectai les alentours.

Entre-temps, l'animal s'était arrêté. Il souffla. Et l'air se mit à prendre une odeur bizarre. Je ne voyais rien de suspect mais une bonne partie des environs était plongée dans la brume. Je fis un pas vers lui, puis un autre, et je ne remarquai rien non plus, mais je sus qu'il était blessé. Je jetais des coups d'œil à droite et à gauche à mesure que j'avançais — quelle superbe cible il faisait. Je n'étais plus qu'à quelques mètres. Une fine vapeur sortait de son museau. Je tendis lentement la main et il me fixa sans broncher — il était très impressionnant de si près, d'une taille qui me semblait étonnante. Il souffla de nouveau. Au moment où j'allais le toucher, il eut un mouvement de recul — nullement craintif, de fierté plutôt. Pour le rejoindre j'avais maintenant de l'eau jusqu'à la taille et je grelottais. Je me demandais comment j'allais lui demander de me suivre pour nous mettre à l'abri, nous n'avions pas beaucoup de temps pour faire connaissance, et sa tête en morceaux, en charpie, m'arrosa copieusement à la seconde où j'entendis le coup de feu partir.

☛ Lorsque Marc rouvrit un œil et se remit sur ses pieds, le soir tombait. Il s'était littéralement assommé et se réveillait à peine. Il n'était pas très tard mais le ciel était déjà sombre car les nuages avaient profité de sa perte de conscience pour envahir l'espace. Il se toucha l'arrière du crâne, une région douloureuse, mais il n'y avait pas de sang et au point où il en était, il s'aspergea le visage et la nuque et frissonna de plus belle avant de se décider à traverser ce satané cours d'eau — en espérant qu'un troupeau n'allait pas surgir et le piétiner sans même ralentir. Il jeta un regard méfiant autour de lui. Il avait le très net sentiment d'être sorti d'un cauchemar mais il n'en rapportait aucune image, rien d'identifiable, l'écran semblait éclaboussé de rouge coquelicot — très désagréable. Il dressa l'oreille mais le crépuscule était silencieux — le trafic au-dessus de sa tête était devenu épisodique, quelques lueurs se déplaçaient dans la nuit comme les perles d'un collier en mauvais état. Son survêtement était trempé. La bonne nouvelle était qu'il allait pleuvoir et que ça ne changerait rien pour lui.

Il découvrit la mauvaise un peu plus tard, en prenant pied sur le bitume, après une montée éprouvante qui s'était terminée sous des éclairs, sous des trombes d'eau. À l'entrée d'un tunnel. Il se trouvait devant l'entrée d'un énorme tunnel. Il frémit et se tourna dans l'autre direction mais on ne distinguait pas grand-chose à travers le rideau de pluie que la frénésie rendait laiteux, en tout cas rien d'attirant, rien, aucune lumière. Il ruisselait.

Il était incapable de mettre un pied dans un tunnel. C'était impossible. Pas pour tout l'or du monde. S'approcher de l'ouverture lui donnait déjà des palpitations mais la pluie était si forte qu'elle était en train de le noyer debout et l'obligeait à reculer vers l'entrée — haletant comme une femme en plein travail et tremblant.

Il s'avança d'un ou deux mètres sur le trottoir, collé à la paroi. Il se laissa glisser sur ses talons. La première voiture qu'il tenta d'arrêter faillit l'écraser. Faire du stop à cette heure, par ce temps, dans cette tenue — on aurait dit qu'il s'était roulé dans la terre — supposait une foi insensée. Il ne pouvait pas rester là, c'était absurde, il allait mourir d'une commotion. Il se redressa d'un bond, prêt à s'élancer au-dehors, à partir dans l'autre sens — les tunnels, définitivement, étaient au-dessus de ses forces — quand une voiture s'arrêta.

☛ « Oh merci ! Merci beaucoup ! Merci mille fois ! » fis-je en m'installant tel un goret mouillé à côté de la jeune femme qui tenait le volant et qui me répondit dans une langue à laquelle je ne compris pas un traître mot. La voiture redémarra. Je lui demandai si elle comprenait ce que je lui disais, mais elle continua de me parler dans son étrange dialecte comme si de rien n'était. Je m'esclaffai de bon cœur devant l'incongruité de cette situation et entamai avec elle un dialogue surréaliste — davantage destiné à détourner mon attention des noires entrailles au cœur desquelles nous nous enfoncions qu'à tenter de faire connaissance — lorsque sa ressemblance avec Gloria me frappa subitement. Je ne l'avais pas remarquée au premier abord car elle ne m'avait offert que son profil mais depuis, notre folle conversation s'était animée, elle s'était tournée vers moi à plusieurs reprises et il me semblait à présent qu'il s'agissait d'une fille de la bande avec laquelle je l'avais surprise au bord du fleuve. Mais peut-être me trompais-je, impossible d'être sûr. La voiture était vide. Ni valise, ni sac, ni vêtement. « Qui es-tu ? » demandai-je tandis qu'elle était lancée dans un monologue reposant, orchestré d'une main légère, et que pensivement je m'égouttais sur le siège du passager, honteux mais ravi comme un bienheureux qui aurait compissé son pantalon. Il me restait un peu d'alcool. Qu'elle déclina. Que je bus. Pour maintenir l'ambiance, je lui racontai tous ces rendez-vous manqués qui émaillaient ma vie. Et elle, de son côté, faisait sans doute la même chose dans son mystérieux langage. Nous sortîmes du tunnel et entrâmes dans la nuit.

☛ Vers midi, il se réveilla sur un parking d'autoroute. La jeune femme n'était plus là. Il ne pleuvait plus et ses vêtements n'étaient plus que *très* humides — il avait relativement bien séché et le pâle soleil avait tapé dans les vitres et plus ou moins réchauffé l'habitacle. Il bâilla. Il sortit pour se rendre aux toilettes en espérant la retrouver là-bas afin de la remercier — et si jamais elle insistait pour lui offrir un café, il pensa qu'il accepterait.

Il se planta devant les urinoirs en compagnie d'une

poignée de chauffeurs qui considérèrent son allure avec répugnance — bien qu'ils portassent eux-mêmes leur ignoble casquette graisseuse et leur immonde chemise à carreaux. Il fit une très légère et très revigorante toilette, tendit les bras vers le séchoir à mains, se coiffa avec les doigts.

Il se promena un moment dans la boutique, au milieu des rayons, inspectant les sandwiches et les flans mais il n'avait pas le moindre euro en poche. Il y avait aussi du jambon de montagne sous vide, du fromage de pays et de la viande de bœuf séchée, qui semblaient tout à fait honorables. Il tourna et vira ainsi pendant un moment puis finit par se rendre compte que sa jeune conductrice avait tout simplement disparu.

Il s'approcha des cartes et en déplia une pour tenter de repérer sa position. Après une brève altercation avec le gérant des lieux qui portait un bel uniforme brodé à son nom, il lui jeta la carte à la figure et retourna sur le parking. Le ciel était blanc, lumineux, et à l'abri se percevaient nettement une tiédeur, une caresse indéfinissable. Il s'appuya contre l'aile de la voiture, croisa les bras et ferma les yeux. C'était bon. Il allait pouvoir enfin rentrer et Michel ne lui échapperait plus. Les traces de boue sur lui commençaient à pâlir, à sécher. Il devait une fière chandelle à cette fille, songea-t-il, fût-ce le Diable qui l'eût envoyée ou Dieu sait quoi.

La voiture était une location et les clés se trouvaient sur le contact. Ces détails le firent sourire, lui donnèrent l'impression qu'il revenait vingt-cinq ans en arrière et partait pour une nouvelle mission. Il n'était peut-être pas impossible qu'elle eût laissé de l'argent quelque part ainsi que cela se pratiquait couramment — on trouvait en général une enveloppe sous le siège —, mais lorsqu'il ouvrit la portière et s'accroupit pour passer la main sous le tapis de sol, une face rougeaude à queue-de-cheval, lisse et vociférante, lui sauta au visage.

Il s'agissait de la femme du gérant, ou d'une caissière, peu importe, mais l'homme était allé chercher une femme de cent kilos qui portait le même uniforme que lui et la voilà qui aboyait à la figure de Marc, encore pour cette histoire de carte routière qu'il avait soi-disant abîmée et qu'il devait payer séance tenante. Une vraie furie. Malgré le froid, elle se promenait en polo à manches courtes.

« *Êtes-vous obligée de hurler ?!* » lui hurla-t-il à son tour aux oreilles. Il n'avait pas remarqué qu'elle tenait un nerf de bœuf à la main et elle lui en administra un bon coup sur le bras — qui resta paralysé durant plusieurs secondes. Il n'avait encore jamais frappé une femme mais la douleur l'emplit tellement de fureur qu'il l'attrapa par son polo et tira dessus pour la flanquer par terre, mais cette femme était un vrai roc et c'est à peine s'il la fit bouger d'un pas pour reprendre son équilibre. En retour, elle le frappa sur la tête et il vit trente-six chandelles. Il tituba, recula, puis dévala le terre-plein.

Arrivé en bas, tout griffé, déchiré, barbouillé et couvert de poussière, il jura sombrement entre ses dents.

☛ Cette fille. Cette fille étrange qui l'avait ramassé à l'entrée du tunnel, qui ressemblait à Gloria, etc. Elle le suivait de loin. Silencieuse. Elle était équipée d'une torche électrique inutile car, par chance, le ciel s'était dégagé au-dessus de leur tête et la lune brillait.

Elle l'avait rattrapé alors qu'il s'aventurait à nouveau dans les bois à la tombée du soir — muni cette fois d'indications précises grâce à la carte qu'il avait eu le temps de mémoriser. Il lui avait fait signe d'approcher mais elle avait secoué la tête, tenant visiblement à conserver entre eux la cinquantaine de mètres qui les séparaient — et d'un autre côté, puisqu'ils étaient incapables d'échanger le moindre mot vaillant, il ne voyait pas de raisons de la brusquer.

Il se retournait de temps en temps et elle hochait la tête et lui faisait signe de continuer alors qu'il ne demandait rien — à deux reprises, elle l'alerta pour le remettre sur la bonne voie jusqu'à ce qu'ils atteignissent enfin le ruisseau qu'il avait longé la veille, signe qu'il n'était plus maintenant qu'à une heure de marche d'une superbe chambre dotée de la plus douce literie du monde et d'un parfait service de restauration à l'étage.

Lorsque enfin l'hôtel fut en vue — illuminé comme une boîte à musique — il se tourna de nouveau et constata que la fille avait encore une fois disparu.

Il demanda ses clés et s'apprêta à regagner sa chambre

sans se préoccuper du regard du concierge ni de celui d'un couple de vieillards pomponnés errant dans le hall, autour de la fontaine. Mais comme il s'avançait vers les ascenseurs, son cœur fit un léger bond en apercevant Anne qui sortait de la porte à tambour et se dirigeait vers l'accueil. Il se figea une seconde, la tête rentrée dans les épaules, puis s'élança vers l'escalier.

☛ Avant tout, je m'offris un bain. Je claquais des dents sans interruption. Depuis un long moment déjà. Depuis des jours, me semblait-il. Je vidai dans la baignoire un flacon entier de bain moussant effervescent ionisant relaxant. Mon poignet me faisait un peu mal mais je n'avais pas de remords. J'avais avalé et mordu tant de poussière en dégringolant en bas du parking que des grains crissaient encore sous mes dents. Mais cette satanée caissière m'avait réellement rendu fou de rage et j'étais retourné là-haut pour lui régler son compte et me débarrasser d'un poids que j'avais sur l'estomac, d'un trop-plein que cette bougresse avait eu le don d'attirer sur elle à trop user de son nerf de bœuf. Qu'elle empoigna une nouvelle fois en me voyant arriver dans la boutique, au milieu des confiseries, des lunettes de soleil et de divers produits pour l'entretien de la voiture.

Elle abandonna sa caisse et se planta devant moi en poussant un grognement de colère qu'elle ponctua d'un coup porté de droite à gauche, puissant mais lourd. J'esquivai facilement et l'extrémité de son arme alla finir sa course dans une vitrine de vidéos pornographiques qui explosa littéralement tandis que je lui envoyais un direct à l'estomac qui la plia en deux et m'endolorit le poignet car elle n'était pas si molle qu'elle en avait l'air. Le gérant se tenait en retrait et quelques clients écarquillaient les yeux cependant que je secouais le présentoir de cartes au-dessus d'elle.

J'en ramassai une avant de sortir et l'étudiai avant de la jeter par-dessus mon épaule, sur le parking.

☛ Du moins ce problème était-il résolu, ce délirant périple à travers bois était-il désormais de l'histoire ancienne. Il allait maintenant pouvoir avancer. Dans son bain, il se détendit partiellement — difficile de faire davantage. Anne était à présent dans les murs et cela compliquait certainement la situation mais il ne savait pas très bien dans quelle mesure. Il se rasa, il pansa ses plaies, il commanda des clubs sandwiches — il avait d'ores et déjà vidé tout ce qu'il y avait à manger dans le minibar — et une thermos de café. Dehors, quelques gouttes avaient commencé à tomber mais le vent s'était levé presque aussitôt et avait tout chassé, et c'était à présent les feuilles qui volaient et s'éparpillaient dans la nuit claire, le sifflement des bourrasques contre les vitres, les arbres qui se balançaient dans l'obscurité.

Ainsi donc, rien ne comptait, pas même l'amitié, se

disait-il, s'apprêtant à échafauder un plan pour approcher Michel sans témoin.

Il allait le démasquer. Il allait réduire la déposition d'Anne en miettes. Sans doute ne donnait-il pas lui-même un bel exemple de conduite en matière d'amitié, de loyauté, c'était fort possible, mais Michel n'avait-il pas tout envoyé en l'air en s'en prenant à Gloria, n'avait-il pas tout balayé à cet instant, tout renié ?

Après cela, Anne allait le détester. Et la boucle serait bouclée. Mais comme il regardait les montagnes au loin, que la neige n'avait pas encore recouvertes, et qu'il sentait sa résolution sur le point de faiblir, il baissa les yeux et découvrit la fille du tunnel postée sous sa fenêtre, la tête levée vers lui, immobile, les bras tendus le long du corps. Il la fixa longuement. Elle et sa lampe-torche éteinte. Il ne comprenait pas toujours les choses très très vite.

☛ Je passai Noël seul.

Dans un accès de folie, j'avais trouvé le moyen de le ligoter et de le jeter dans le coffre de ma voiture après avoir pris soin de mettre Anne hors jeu au moyen d'un puissant relaxant musculaire.

Je n'éprouvais pas de regrets. Je continuais à sortir, à boire et à me farcir le nez, mais je n'éprouvais plus rien de significatif et depuis deux jours je traînais au milieu des cartons — Élisabeth venait de m'apprendre qu'elle ne prenait pas cette décision en raison des récents évènements où je m'étais distingué, mais qu'elle me quittait pour de bon et pour le bénéfice de chacun. Ainsi, je partageais mes repas de midi avec des hommes qui portaient des ceintures de force et pliaient les vêtements de mon ex-compagne entre leurs gros doigts — je n'avais pas eu le courage de m'en occuper et elle ne souhaitait pas me revoir dans l'immédiat si bien qu'ils étaient là, devant des tiroirs emplis de culottes, soutiens-gorge et de combinaisons, hésitants, troublés.

J'avais provoqué un irréparable gâchis, aussi bien entre elle et moi qu'entre les deux autres et moi-même — je pouvais juste me féliciter qu'il fût total et non pas *presque* total. Le chaos annoncé avait bien eu lieu et par-dessus étaient venues se greffer ces amères et terribles révélations qui m'avaient été faites concernant Alex, et par là mon rôle de père, pour obscurcir davantage le ciel.

Gloria était toujours dans le coma et je n'étais toujours pas autorisé à la voir mais je passais régulièrement à l'hôpital et je tâchais de l'apercevoir à travers le hublot de la porte. Je voulais garder ses affaires à la maison, mais l'administration en avait décidé autrement et avait envoyé quelqu'un pour prendre son sac — à présent rangé debout dans le placard de sa chambre.

Je restais toujours quelques minutes. À un infirmier qui gardait sa porte fermée à clé et que je croisai à plusieurs reprises, je finis par expliquer qui j'étais par rapport à elle et il me confia que son visage allait beaucoup mieux, qu'il la trouvait même très jolie, qu'il fallait brûler des cierges.

Le type qui l'avait mise dans cet état fut arrêté moins d'une semaine après que j'eus enfermé Michel dans mon coffre et il s'agissait de ce chauve, de ce couple que nous avions croisé un soir et que visiblement elle avait continué de fréquenter. Mieux valait, pour finir, que les vrais coupables soient derrière les barreaux, déclarai-je quelques jours avant le réveillon, mais ces paroles ne trouvèrent aucun écho auprès des deux autres et j'en fus presque rassuré.

Je jardinai un peu en attendant la nouvelle année, avant que la terre ne devienne trop dure. Je pensais à Gloria, je me penchais sur elle et me demandais si elle allait jamais se réveiller.

2 avril 2011
23h41.

Œuvres de Philippe Djian (suite)

Chez d'autres éditeurs

BRAM VAN VELDE, *Éditions Flohic,* 1993.

ENTRE NOUS SOIT DIT : CONVERSATIONS AVEC JEAN-LOUIS EZINE, *Presses Pocket,* 1996.

PHILIPPE DJIAN REVISITÉ, *Éditions Flohic,* 2000.

ARDOISE, *Julliard,* 2002.

DOGGY BAG, *Éditions 10/18,* 2007.

LUI, *Éditions de l'Arche,* 2008.

LA FIN DU MONDE, avec Horst Haack, *Éditions Alternatives,* 2010.